Quinze minutes
de Patrick Senécal
est le neuf cent quatre-vingt-dixième ouvrage
publié chez
VLB ÉDITEUR.

VLB ÉDITEUR
Groupe Ville-Marie Littérature inc.
Une société de Québecor Média
1010, rue de La Gauchetière Est
Montréal (Québec) H2L 2N5
Tél. : 514 523-1182
Téléc. : 514 282-7530
Courriel : vml@groupevml.com

Vice-président à l'édition : Martin Balthazar

Éditeur : Stéphane Berthomet
Direction littéraire : Martin Bélanger
Design de la couverture : Julien Del Busso
Photo de l'auteur : Mathieu Rivard

Catalogage avant publication de Bibliothèque et Archives
nationales du Québec et Bibliothèque et Archives Canada
Senécal, Patrick, 1967-
    Quinze minutes
    (L'Orphéon)
    ISBN 978-2-89649-413-2
    I. Titre.
PS8587.E544Q46 2013   C843'.54   C2012-942527-3
PS9587.E544Q46 2013

Distributeur :
LES MESSAGERIES ADP*
2315, rue de la Province
Longueuil (Québec) J4G 1G4
Tél. : 450 640-1234
Téléc. : 450 674-6237
*filiale du Groupe Sogides inc.,
 filiale de Québecor Média inc.

Pour en savoir davantage sur nos publications, visitez notre site : editionsvlb.com
Autres sites à visiter : editionshexagone.com • editionstypo.com

Dépôt légal : 1ᵉʳ trimestre 2013
Bibliothèque et Archives nationales du Québec, 2013
Bibliothèque et Archives Canada
© VLB éditeur, 2013
Tous droits réservés pour tous pays
ISBN 978-2-89649-413-2

VLB éditeur bénéficie du soutien de la Société de développement des entreprises culturelles du
Québec (SODEC) pour son programme d'édition.
Gouvernement du Québec – Programme de crédit d'impôt pour l'édition de livres – Gestion
SODEC.
Nous reconnaissons l'aide financière du gouvernement du Canada par l'entremise du Fonds du livre
du Canada pour nos activités d'édition.
Nous remercions le Conseil des Arts du Canada de l'aide accordée à notre programme de
publication.

QUINZE MINUTES

Du même auteur

Malphas, tome 2. *Torture, luxure et lecture*, Québec, Alire, 2012.

Malphas, tome 1. *Le cas des casiers carnassiers*, Québec, Alire, 2011.

Contre Dieu, Montréal, Coups de tête, 2010.

Hell.com, Québec, Alire, 2009.

Le vide, Québec, Alire, 2007.

Oniria, Québec, Alire, 2004.

Le passager, Laval, Guy Saint-Jean éditeur, 1995 ; Québec, Alire, 2003.

Les sept jours du talion, Québec, Alire, 2002.

5150, rue des Ormes, Laval, Guy Saint-Jean éditeur, 1994 ; Québec, Alire, 2001.

Aliss, Québec, Alire, 2000.

Sur le seuil, Québec, Alire, 1998.

Jeunesse

« Un Noël inoubliable », dans *Neuf bonnes nouvelles et une moins bonne (à vous de trouver laquelle)*, collectif, Montréal, La Bagnole, coll. « Gazoline », 2012.

Madame Wenham, Montréal, La Bagnole, coll. « Gazoline », 2010.

Sept comme Setteur, Montréal, La Bagnole, coll. « Gazoline », 2007.

Dans la même série

Roxanne Bouchard, *Crématorium Circus*.

Stéphane Dompierre, *Corax*.

Geneviève Jannelle, *Odorama*.

Véronique Marcotte, *Coïts*.

Patrick Senécal

L'ORPHÉON

QUINZE MINUTES

conte allégorique

vlb éditeur
Une société de Québecor Média

« In the future, everyone will be
world-famous for 15 minutes. »
ANDY WARHOL, 1968

1

— Je m'en fous ! L'important, c'est que je sois connu.

Johnny entrelace les doigts sous son menton en hochant la tête d'un air compréhensif.

— Oui, évidemment, c'est pour ça que vous me consultez. Mais pour être connu, il faut faire quelque chose. Donc, que voulez-vous faire, au juste ?

— Je le sais pas, crisse. Si je le saurais, je serais pas ici.

— Savais.

— Quoi ?

— « Si je le savais, je ne serais pas ici. »

Sous sa casquette, le regard du gars se teinte de reproche. Installé face à lui derrière son bureau, Johnny ébauche un sourire d'excuse, puis effectue un geste comme s'il chassait une mouche.

— Bon, procédons autrement. Qu'est-ce que vous aimez faire, dans la vie ?

— Pas grand-chose.

— Allons, vous avez, quoi, vingt-cinq, vingt-six ans ?

— Vingt-six.

— Et vous n'aimez pas faire grand-chose ? J'ai de la difficulté à croire ça, monsieur Gagnon.

— Ben là, appelle-moi Guillaume.

— D'accord, Guillaume. Vous devez sûrem…

— Pis tu peux me tutoyer.

— Je ne préférerais pas.

Assis sur sa chaise, les jambes écartées, Gagnon a une moue surprise.

— Alors, Guillaume, vous aimez faire quoi ?

Gagnon réfléchit.

— Être sur le party…

— Bien sûr.

— Cruiser les *chicks*…

— Oui…

— Jouer à *Call of Duty*…

— Je vois.

— Regarder des films…

— Quel genre de films ?

— Je suis assez ouvert, un peu de tout. Même des drames psychologiques, j'aime ça. Ou des films d'horreur. Surtout ceux qui font faire le saut! C'est pas que ça me fait peur à moi. Moi, j'ai peur de rien…

— Évidemment.

— … mais je trouve ça cool! Pis c'est ben comique de voir tout le monde jumper dans la salle! Le plus le fun, c'est quand j'amène une *chick* au cinéma pis qu'elle a tellement peur qu'elle se pogne après mon bras. À un moment donné, je lui crie un « bouh! » ou ben je lui rentre un doigt dans les côtes, quelque chose de même! Elle lâche un de ces *wack*, man, c'est *fucking* drôle!

Johnny s'est mis à prendre des notes sur une feuille, le visage impassible. Gagnon examine alors la pièce exiguë et toute blanche, les murs ornés de trois ou quatre laminages, la grande fenêtre donnant sur le fleuve, en contrebas, à trois cents mètres de l'Orphéon. Il remonte sa casquette et revient à Johnny, complice:

— Toi, t'as quel âge? Début trentaine, à peu près? Pis déjà une petite business toute à toi, c'est cool! Pis tu commences à être pas mal connu, tu dois t'en rendre compte?

— Donc, vous affectionnez les films d'horreur, résume Johnny, agitant le stylo entre ses doigts sans quitter ses notes des yeux. Et, particulièrement, assister à la peur des spectateurs, ce qui vous amuse beaucoup. Autre chose?

—Je sais pas trop, là.

— La chanson, ça vous attire ?

— Crisse, je chante tellement mal !

— Ce n'est pas du tout un problème.

— Non, ça m'intéresse pas.

— Et être comédien ?

—Je pense pas que je serais ben bon…

— Pas important non plus.

Gagnon, songeur, plisse les yeux et a un sourire malicieux :

—J'aimerais jouer un méchant dans un film…

Johnny se remet à écrire. Gagnon gratte son ventre plat, renifle, puis demande d'un air entendu :

— Ça paie-tu, une business comme la tienne ? Si je me fie à ce que tu me charges, tu dois pas trop être dans le trouble…

— J'ai l'impression, monsieur Gagnon, que l'un des traits de votre personnalité est le plaisir de faire peur.

— Oui, mais juste pour le fun, là…

— Bien sûr. Ça vous amuse, ça vous fait rire… Peut-être même que ça vous rend important ? Effrayer les gens serait une manière d'avoir une certaine forme de pouvoir sur eux, qu'est-ce que vous en pensez ?

— Ben là… Ça se peut, je sais pas trop…

— Bien. Autre chose qui vous procure de la satisfaction ? Un dernier truc, n'importe quoi ?

Gagnon réfléchit encore, en faisant des petits bruits de succion avec sa bouche. Puis :

— J'aime rouler en auto. Ça me relaxe. J'aime surtout les beaux paysages. Charlevoix, l'Estrie, la Gaspésie...

Johnny note en hochant la tête.

— Parfait. Prenez rendez-vous avec ma secrétaire. Dans deux jours, j'aurai une idée à vous proposer.

— Je te paie maintenant ?

— Cinq cents dollars tout de suite, les autres cinq cents après-demain si mon concept vous plaît. Payez à ma secrétaire par chèque.

— Cool.

Gagnon se lève, excité, et tend la main.

— J'ai hâte de voir ce que tu vas trouver !

Toujours assis, Johnny lui serre la main, convaincant :

— J'ai un taux de satisfaction de 90 %.

Gagnon s'apprête déjà à tourner les talons lorsque Johnny ajoute :

— Une dernière chose, monsieur Gagnon. Je voudrais que vous passiez un petit test. Ça ne prendra que deux minutes.

— Pour quoi faire, un test ?

— Pour m'assurer que vous êtes un client susceptible d'aimer le genre de concept que je crée. Si vous ratez le test, je ne perdrai pas mon temps à me creuser les méninges, vous comprenez ?

— Comment vous faites pour savoir ça ?

— Répondez seulement à mes questions.

Johnny désigne un des laminages sur le mur : une photo de Dany Laferrière.

— Vous reconnaissez cet homme ?

— Martin Luther King ?

— Dany Laferrière. Ce nom vous évoque quelque chose ?

— Ah, oui : c'est un politicien haïtien, c'est ça ?

Johnny pointe une seconde image montrant Kadhafi sur le point d'être exécuté par des rebelles libyens.

— Cette scène représente quoi ?

— Un gars qui mange une volée.

— Le printemps arabe, ça ne vous dit rien ?

— Pas vraiment. Mais c'est pas une question de saison : j'irais pas plus dans ces pays-là l'été ou l'automne. Pas que je suis raciste, mais bon, autant pas prendre de chances…

Johnny tourne la tête vers une affiche du film *Cris et chuchotements*.

— Vous connaissez ce film ?

— Non. Ça vient-tu de sortir ?

— J'avoue que celle-là était plus dure. C'est une œuvre du réalisateur suédois Ingmar Bergman.

— Ils font des films en Suède ?

Johnny désigne un dernier laminage sur lequel on voit Brel, Ferré et Brassens en train de discuter.

— Pouvez-vous identifier ces trois chanteurs ?

— C'est des chanteurs, ça ? Hé *boy* !

— En reconnaissez-vous un des trois ?

— Celui du milieu, c'est pas Gilles Vigneault ?

— Brel, Ferré, Brassens, ça ne vous dit rien ?

— Ah, oui ! Les vieux chanteurs français de France ! Mais on en entend moins parler, astheure, non ?

— Très bien, merci.

Gagnon affiche une grimace de dépit.

— Je pense que j'ai poché le test, hein ?

Johnny le gratifie d'un sourire large, mais froid.

— Au contraire, vous l'avez brillamment réussi. Vous êtes un client parfait, monsieur Gagnon. À mercredi.

* * *

Renversé sur sa chaise, le visage tourné vers le plafond, Johnny joue avec son stylo et jongle

mentalement depuis une heure avec les mots
« film d'horreur », « faire peur », « rire » et
« voiture ». Tout à coup, un vrombissement
lointain et lugubre plane dans le local, causant
même un léger tremblement des murs. Sans
quitter le plafond des yeux, Johnny soupire.
Ce monte-charge qu'on entend dans tout
l'édifice est vraiment agaçant. Surtout quand
on sait à quoi il sert…

Son téléphone sonne et il répond :

— Roxanne Frisko voudrait te parler. Elle a
pas de rendez-vous, mais elle dit que ce sera
pas long.

— OK, fais-la entrer.

Johnny range ses notes. Presque aussitôt,
une jeune femme aux cheveux noirs courts,
très sexy et radieuse, pénètre dans la pièce.
Johnny se lève, cordial.

— Bonjour, Roxanne. Content de vous voir.

— Ah, pas autant que moi certain !

Ils se serrent la main et Johnny réintègre sa
chaise.

— Asseyez-vous. Vous me semblez en pleine
forme.

— Ah, oui, ah, oui ! Je pète le feu ! Pis vous,
Johnny, ça va bien ? En passant, c'était ma fête
il y a deux jours !

— Vraiment ? Bonne fête, alors.

— Trente et un ans ! On rajeunit pas !

— Ce n'est quand même pas vieux. En plus, vous êtes magnifique.

— Ouais, il paraît... Si je me fie à tous les commentaires que je lis sur YouTube, ça l'air que je vieillis bien ! Pis vous, ça va ? J'aime tellement ça, l'été, moi ! Pis il fait tellement beau ! Ça donne de l'énergie !

— Il pleut en ce moment, non ?

— Ah, oui, tiens, regarde donc... Pas grave, je suis trop en forme ! Vous, ça va bien ? Je suis hyper contente de vous voir, je sais que j'ai pas pris de rendez-vous, mais...

— Ça me fait plaisir. Asseyez-vous donc. Ne me dites pas que vous voulez déjà un autre concept après seulement deux mois ?

— Non, non, pas de nouveau concept, ça va super bien ! J'ai cinq mille visiteurs par jour, vous imaginez ?

— C'est génial, ça.

— Je pense même à lâcher YouTube pis à partir mon propre site payant.

— Ça, par contre, je ne suis pas convaincu que ce serait une heureuse idée.

— Ah, non ? C'est mon chum qui m'a proposé ça, mais peut-être que vous avez raison... *Anyway*, tout ça, c'est grâce à vous ! Faque je suis venue vous remercier !

— C'est tout de même vous qui créez les clips. Vous êtes sûre que vous ne voulez pas vous asseoir ?

— Quand même ! Avant que je vienne vous consulter, personne visionnait mes critiques de films sur YouTube, ou à peu près personne, vous vous souvenez ? Pourtant, mes capsules étaient bonnes, je le sais ! C'était des critiques pour le vrai monde, pas pour les snobs qui aiment juste les films que personne connaît ! J'avais quelque chose à dire mais on m'écoutait pas ! Pis grâce à vous, ça a changé !

— Surtout grâce à vous, Roxanne, je le répète. Je suis bien content que vous soyez heureuse. Vos mille dollars auront été bien investis.

— Je comprends ! Pis vous, ça va bien ? Les avez-vous vues, mes critiques ?

— La première, oui, celle que vous avez produite après nos rencontres. J'ai constaté que vous aviez très bien suivi mes conseils.

— J'ai six capsules en ligne, maintenant ! Une par semaine ! Voulez-vous les voir ?

— Heu… Je ne sais pas si…

— Ce sera pas long !

Elle est déjà devant l'ordinateur de Johnny qui, résigné, la laisse faire. Elle se branche sur YouTube, tape « Roxanne critique 3 ». Une vidéo maison, captée par une caméra sur trépied avec un éclairage quelconque, débute : Roxanne, habillée d'un top qui moule ses seins généreux et d'un short si petit qu'il confine au string, exécute des exercices aérobiques tout en expliquant : « Rien de mieux que de mettre la culture cinématographique et la forme physique ensemble ! Donc, parlons de *Transformers III*. C'est de loin le meilleur film de la série. La psychologie des robots est beaucoup plus approfondie et les scènes d'action ont une touche d'émotion qui fait que c'est super. »

Tout en déballant son appréciation, elle se penche, arque les reins, prenant des poses très suggestives. Puis, elle fait du jogging sur place et sa voix devient moins ferme : « La-a-a seuuule cho-o-ose qu'on p-p-p-ppeut regreeeetter est l'a-a-a-absence de Megaaaan Fox-x-x, cette grannnnnde actrice qui-i-i-i-i malheuuuuuureusement est pa-a-a-as dans leeeee fi-i-i-ilm... » Et elle se met à quatre pattes, cambre le bas du dos et lève la jambe gauche en cadence tout en poursuivant son analyse.

Roxanne se tourne vers Johnny, rayonnante de fierté :

— Pas mal, hein ?

— Tout à fait. Vous êtes très belle.

— Et la critique ?

— Quelle critique ?

— La critique du film !

— Ah, oui, la critique. Elle est très person-
nelle, je dirais. Très assumée.

— Exactement ! Je vous en montre une
autre.

— Heu, Roxanne, c'est...

Elle va dans la colonne de droite et clique
sur « Roxanne critique 5 ». Cette fois, la fan de
cinéma est filmée dans sa chambre à coucher,
en jeans et t-shirt, et se déshabille lentement.
« Excusez-moi, je dois me changer pour me
rendre à un souper, mais je vais quand même
prendre le temps de critiquer *The Girl With the
Dragon Tattoo*. C'est un thriller avec une bonne histoire et une fin pas mal inattendue. C'est parfois un peu compliqué, mais on aura juste à le
louer quand il sortira en vidéo pour mieux
comprendre... »

Sur l'écran, la jeune femme est maintenant
en sous-vêtements affriolants et demeure ainsi
un bon moment sans cesser de parler. Johnny
regarde la scène, le visage de marbre. Puis, la
Roxanne virtuelle enfile sans se presser une
robe moulante : « Le film a tellement bien
fonctionné qu'un auteur suédois s'en est inspiré pour écrire un roman. Mais je doute que ça
marche : mettre un film en livre, ça fait un peu

bizarre. Oups ! Faut que je me dépêche, je vais être en retard ! Bon cinéma tout le monde ! »

Roxanne se tourne vers Johnny, l'œil admiratif.

— Je vous remercierai jamais assez ! Comment vous avez fait pour penser à ça ?

— Comme avec tous mes clients, Roxanne : je vous ai posé des questions et, par vos réponses, j'ai su rapidement où résidaient vos forces.

— Vous êtes vraiment doué !

— Mais je me rappelle que vous n'étiez pas folle d'enthousiasme quand je vous ai proposé l'idée d'analyser des films dans des mises en scène sexy…

— Oui, parce que… Bon, faut pas se faire d'accroires : j'imagine que c'est surtout les gars qui regardent mes clips pis qu'ils aiment ben me voir en petite tenue… Je le sais ben, ça ! Je suis pas conne, quand même !

— Bien sûr que non.

— Mais vous m'avez fait réaliser que toute la subtilité était là : oui, on viendrait me voir moi au départ, mais on se rendrait vite compte que ce que je dis, c'est pas bête non plus !

— Exactement.

— Il paraît que je suis plus populaire que les critiques des journaux !

— Imaginez-les en costume de bain et vous comprendrez pourquoi.

Elle rit à gorge déployée, il rit discrètement, ils rient tous les deux quelques secondes. Il se lève enfin :

— C'est gentil d'être passée, Roxanne.

— Oh, ça me fait plaisir ! Je voulais que vous sachiez comment je suis contente ! Pis j'ai des idées pour les prochaines capsules, aussi ! Je pourrais jouer au strip-poker pis perdre tout le temps ! Évidemment, je me mettrais pas toute nue complètement !

— Évidemment.

Il la reconduit poliment vers la porte. Tout en marchant, elle poursuit :

— C'est juste qu'y a encore des gars qui m'envoient des messages ben vulgaires, pis je me demande comment prendre ça...

— Ah ça, c'est la rançon de la gloire.

— Ouais... Pis des fois, y en a qui rient de moi dans la rue. Mais ça aussi, j'imagine que c'est le tronçon de la gloire.

— Rançon, oui.

Il ouvre la porte.

— Mais connaissez-vous, Roxanne, quelqu'un qui est apprécié par toute la population et qui fait l'unanimité ?

— Je pense pas, hein ? Y a même des gens qui aiment pas *Star Académie*, faut le faire !

— Vous voyez ? On ne peut pas plaire à tout le monde.

— Ben non. C'est plate, hein ?... Quoique ce que vous faites, vous, je suis sûre que ça plaît à pas mal tout le monde !

Johnny a un sourire crispé.

— N'en soyez pas si sûre...

— Vous êtes tellement doué ! Vous faisiez quoi, avant ?

Johnny, tout à coup embarrassé, la pousse gentiment vers la porte ouverte :

— Allez, bonne journée, Roxanne.

— Encore merci, Johnny ! Pis je parle de vous à tous mes amis !

— C'est gentil.

Il lui sourit, lui serre la main, puis referme la porte. Il demeure appuyé sur celle-ci quelques secondes tandis que son sourire se volatilise graduellement. Puis, il va vers la grande fenêtre et observe le fleuve un moment, le regard lointain et mélancolique, une moue de mépris retroussant ses lèvres. Il lisse ses cheveux noirs vers l'arrière et décroche son téléphone :

— Le prochain client est à quelle heure, Sonia ?

— Après dîner.

Il remercie sa secrétaire, raccroche puis s'assoit. Il ouvre son classeur et se replonge dans les notes prises sur Gagnon.

* * *

Johnny sort de son bureau et traverse la petite salle d'attente. Derrière son comptoir, Sonia pianote sur son clavier. Johnny lui souhaite une bonne soirée. Son unique employée relève la tête, souriante :

— Bonne soirée, Johnny.

— Il est dix-sept heures, Sonia, tu fais ta zélée ?

— Un truc à finir, j'en ai pour dix minutes.

Il la considère brièvement, à nouveau sensible au magnétisme que dégage cette femme dans la trentaine qui n'est pourtant pas une beauté, puis il s'en va.

Même s'il n'est qu'au premier étage de l'Orphéon, il utilise toujours l'ascenseur. Pendant une seconde, il songe à appuyer sur le bouton 2. Un arrêt chez Bleu Communication serait chouette. Son souper n'est que dans deux heures, ce qui lui laisse amplement le temps. Il se décide donc et monte d'un niveau, puis traverse le couloir gris anonyme et franchit la porte qui annonce : Bleu Communication.

Collard est derrière son comptoir, journal ouvert entre les mains ; il lance un clin d'œil à Johnny qui s'approche.

— Ah, désolé, vieux, mais Ève travaille pas aujourd'hui.

— Bah. Je tentais ma chance.

— Tu veux pas rencontrer une autre fille, pour une fois ?

— Non, non, merci. Au revoir.

Il retourne vers l'ascenseur, un peu plus déçu qu'il ne l'aurait imaginé. Au rez-de-chaussée, il traverse le grand hall et dépasse le comptoir de sécurité, entouré d'écrans de surveillance. Le gardien, un homme vieillissant et moustachu, le salue en souriant.

— Vous avez passé une bonne journée, monsieur Net ?

Si le gardien est si gentil et affable, c'est qu'il s'agit de Rolland et non de son jumeau bourru Réjean. Johnny le remercie donc poliment :

— Excellente, merci, Rolland.

— C'est parfait. En vous souhaitant une agréable soirée !

— Vous aussi.

Tout en poursuivant son chemin, Johnny envoie nonchalamment la main à Frugère DaSiggi, la femme du propriétaire du crématorium Le Phénix, assise à l'une des tables du

Café Clochette et qui, comme toujours, semble en rogne, puis il atteint les portes vitrées principales de l'édifice. Dehors, il s'éloigne d'une cinquantaine de mètres puis se retourne. L'Orphéon se dresse devant lui, la plupart des fenêtres des cinq étages éclairées. Il attend depuis un moment, lorsqu'un homme habillé d'un long manteau s'approche de lui.

— Pardon, vous avez l'heure ?

— Désolé, je n'ai pas de montre.

— Ça tombe bien, moi j'en vends !

Et il ouvre sa veste, dont l'intérieur est parsemé de montres. L'homme commence son baratin de vendeur, mais Johnny l'ignore et continue de regarder vers l'édifice. Il finit par voir Sonia sortir. Elle rejoint le boulevard transversal et le traverse. Johnny hésite.

— ... et un jour, si vous avez pas de montre, vous raterez peut-être le rendez-vous de votre vie et vous regretterez de pas m'avoir écouté et...

Sonia entre dans sa voiture. Johnny hausse les épaules puis se remet en marche vers le stationnement, ignorant totalement le vendeur qui, sans le suivre, continue de le haranguer pendant quelques secondes.

* * *

Sa mère s'est surpassée : une *stracciatella* suivie d'un osso buco au fenouil avec *gremolata*, le tout arrosé d'un excellent vin. Bref, elle devra se contenter de toasts au beurre d'arachides pendant deux semaines pour lui avoir offert un tel festin. Johnny mange avec un mélange de bonheur et de culpabilité tandis que Monique, assise en face de lui de l'autre côté de la minuscule table (située dans la minuscule cuisine du minuscule appartement), continue d'expliquer avec enthousiasme :

— ... et ma nouvelle sera publiée dans le programme mensuel des bibliothèques publiques de tout le Québec. Tu imagines ?

Elle sourit avec orgueil. Comme à chacune de ses rencontres avec son fils, elle a fait un effort : elle s'est bien habillée, a coiffé ses longs cheveux gris et s'est même maquillée légèrement, à tel point qu'elle paraît ses soixante et un ans, alors que normalement on lui en donne dix de plus.

— Félicitations, maman ! Et ça rapporte combien ?

— Comment, ça rapporte combien ? C'est pas important, ça.

— À peine assez pour payer l'excellent repas de ce soir, c'est ça ?

— Ah, merde, Jean ! C'est de la visibilité, tu comprends ? De la diffusion ! Pour une nouvelliste, c'est de l'or ! Et puis, regarde !

Elle étire la main jusqu'au comptoir (dans une pièce si exiguë, pas besoin de se lever) et attrape un exemplaire de *La Presse*, déjà plié à une page précise. Elle le tend à son fils, qui voit aussitôt une photo d'elle souriante. L'article parle de sa nouvelle qui sera « visible » dans les bibliothèques et présente Monique Soulière comme une grande écrivaine québécoise. Une grande écrivaine qui habite dans un trois et demie et qui ne peut voyager que lorsqu'un festival littéraire l'invite, songe Johnny. Mais il garde cette remarque pour lui. Pas parce que ça blesserait sa mère : elle ricanerait en haussant les épaules. Parce que ça le chagrine, lui.

— Je suis fier de toi, dit-il très sincèrement.

— Évidemment, l'article est plutôt mal écrit. Que veux-tu : des journalistes comme ton père, il n'y en a plus…

— Peu importe : tu devrais être plus souvent dans le journal. En tout cas, plus souvent que la plupart des écrivains vedettes…

— Pas de médisance, Jean.

Mais elle rosit tout de même d'orgueil. Elle prend la dernière bouchée de son osso buco :

— Et toi, tu travailles beaucoup ?

— Comme tout le monde.

— Toujours dans cette compagnie d'assu-
rances ?

— Mais oui.

— Je ne comprends pas pourquoi tu te
contentes d'être correcteur dans une telle
boîte, ce n'est pas du tout ton genre ! Pourquoi
tu ne postules pas dans une maison d'édition ?

« Parce que, si je travaillais dans une maison d'édition, tu serais tellement heureuse que
tu viendrais me voir et qu'ainsi tu te rendrais
compte que je mens », songe Johnny. Puis il
répond :

— J'essaie, mais ce n'est pas facile.

— Si tu me laissais parler à mon éditeur...

— M'man, on reviendra pas là-dessus.

Elle hausse une épaule en terminant son
verre de vin (le troisième) et grommelle :

— Ce ne serait pas du favoritisme, franchement, juste un coup de pouce...

— Je suis très satisfait de mon sort.

— Alors pourquoi tu renifles ?

— Hein ?

— Depuis que tu as dix ans, chaque fois que
tu renifles après avoir dit quelque chose, c'est
que tu mens et...

— Maman...

— ... et là, tu viens de renifler !

— Je suis très heureux, maman, je te le jure !

Elle tambourine sur la table, hésitante, tandis que son fils avale une gorgée en la toisant d'un air entendu, sachant très bien qu'elle ne pourra pas se retenir. Enfin, elle lance :

— Tu n'as réellement plus envie d'être producteur de spectacles ? Les chanteurs que tu produisais étaient tellement bons !

— C'est donc vrai qu'avec l'âge, on radote ?

Elle affecte une moue hautaine, un peu ivre. Johnny fait tourner le vin dans son verre, arborant un sourire mi-amusé, mi-mélancolique. Pendant un moment, on ne perçoit que la musique de Tom Waits en sourdine, puis Johnny commente :

— Et cette publication de ta nouvelle dans les bibliothèques publiques, j'imagine que la télé n'a pas dit un mot là-dessus…

— Tu te trompes, cher fils ! Ils en ont parlé à l'émission culturelle *De tout et de rien* il y a deux jours ! Et il y a même quelqu'un qui a mis ça sur YouTube ! Viens ! Je vais te montrer !

Et elle se lève, excitée comme une gamine. Johnny la suit jusque dans le minuscule salon dont la moitié de la superficie est occupée par un bureau sur lequel agonise un vieil ordinateur. Assise devant l'antique machine, Monique demande à Johnny, tout en cherchant le clip sur YouTube, s'il a vu le dernier film de Haneke. Il répond que oui, qu'il a beaucoup aimé, mais son commentaire est coupé par la voix nasillarde du petit perroquet dans sa cage :

— Ce fut un grand vaisseau taillé dans l'or massif...

— Tiens ? rigole Johnny. Il ne récite plus Verlaine ?

— Je commençais à en avoir marre des longs sanglots des violons de l'automne, explique sa mère en pianotant toujours sur son clavier. Et puis, il est temps qu'il connaisse nos classiques québécois, non ? Ah ! Voilà !

Dans la fenêtre YouTube, une chroniqueuse, juste avant la fin de l'émission *De tout et de rien*, annonce qu'une nouvelle de la grande écrivaine Monique Soulière sera publiée dans le programme des bibliothèques, tandis qu'une photo de l'artiste apparaît dans le coin droit. La capsule dure un immense dix secondes.

— Génial, hein ? fait Monique. Je me demande bien qui a mis ça sur le net !

— Un admirateur, sans doute, répond Johnny, qui n'ose pas lui dire qu'il s'agit de lui.

Il jette un œil sur le nombre de visionnements du clip jusqu'à maintenant : le chiffre « huit » lui transperce le cœur. Elle remarque

son air triste et, attendrie, elle lui caresse la
joue :

— Arrête de te mettre dans tous tes états
pour moi. Je vais bien.

Il s'efforce de sourire à son tour, puis
change de sujet :

— Et le reste de la famille, ça va ?

— Ça va. Il y a seulement ton cousin Joël
qui m'inquiète. Il est dans mes amis Facebook,
et tu devrais voir les vidéos dégradantes qu'il
regarde…

— Comme quoi ?

Elle hésite puis, en soupirant, revient à l'ordinateur. Après qu'elle a pianoté quelques secondes, une vidéo débute, montrant un homme
dans la quarantaine qui se filme lui-même, assis
sur les toilettes, les culottes baissées. Les traits
crispés par le dégoût, Monique explique :

— J'ai cru comprendre que c'est un camionneur qui est souvent sur la route, et ça a
l'air qu'il teste toutes les toilettes de tous les
truck stops qu'il croise ! Tu imagines ?

Johnny ne dit rien, le visage étrangement
embêté. À l'écran, le routier obèse, toujours
bien installé sur la cuvette, explique à quel endroit il se trouve. Monique grimace de plus
belle en secouant la tête, une main devant la
bouche :

— Comment… comment cet adulte de quarante ans a pu en arriver à avoir une telle idée ?

— Peut-être qu'il voulait être vu sur internet, mais que, comme il se promène beaucoup, il ne savait pas trop comment s'y prendre. Puis il a fini par avoir cette idée. Ou quelqu'un la lui a donnée.

Il propose cette éventualité d'une voix égale. Monique le considère avec étonnement.

— Tu as l'air au courant, dis donc !

— C'est juste une hypothèse.

Il aperçoit alors, sous la vidéo, une bande publicitaire qui défile : « JOHNNY NET : l'homme qui vous rendra célèbre sur la toile ! »

La bande est accompagnée d'un nom de site web et d'une adresse courriel. Dans le clip, le camionneur analyse :

— Bon confort, odeur ben acceptable… Astheure, testons l'essentiel : la profondeur pis l'efficacité de la bol.

Il commence à forcer, mais Monique arrête la vidéo :

— Je n'ai jamais pu continuer plus avant, je trouve ça trop… triste.

— Tu as bien raison, marmonne Johnny, tout à coup vaguement déprimé.

Sa mère se tourne vers lui :

— Et moi qui te montre ça ! Franchement !
Désolée de t'avoir rendu complice de cette
ineptie, Jean !

Johnny ne dit rien, le visage sombre.
Monique, toujours assise, attrape le verre de
son fils, avale une gorgée et marmonne :

— Si ton père avait vécu assez longtemps
pour voir ce genre de choses, il aurait écrit un
papier pour dénoncer ça !

— Et, comme pour presque tous les articles
qu'il a écrits, aussi brillants soient-ils, ça n'aurait rien changé.

Il reprend son verre des mains de sa mère et
le termine d'un trait. Monique le considère
avec inquiétude.

— Je n'aime pas quand tu es cynique…

Johnny fixe le fond de son verre vide. Tout
à coup, le perroquet se remet à réciter :

— Que reste-t-il de lui dans la tempête
brève ?

Amusée, Monique se tourne vers l'oiseau et
poursuit d'une voix théâtrale :

— Qu'est devenu mon cœur, navire déserté ?

Elle regarde son fils et tous deux concluent
à l'unisson :

— Hélas ! Il a sombré dans l'abîme du Rêve !

Ils se sourient en silence.

* * *

Seul dans son lit, Johnny, les yeux fermés, ne dort pas.

Il lui faut toujours un certain temps avant de sombrer dans le sommeil. Mais, comme après chacune des soirées qu'il passe avec sa mère, l'insomnie de cette nuit s'étire sur de longues heures...

2

—Johnny, il y a quelqu'un qui voudrait te voir, annonce Sonia à l'autre bout du fil.

Johnny, qui était en train de mettre le point final à un concept, dépose son stylo sur la feuille de papier et regarde l'horloge murale : neuf heures quarante.

— Mon prochain client n'était qu'à onze heures, non ?

— Oui, mais la personne ici présente a tout de même tenté sa chance. Si tu es trop occupé, elle peut repasser.

— Comment a-t-elle eu l'adresse sans rendez-vous ?

— Aucune idée.

— Bon, OK, j'ai du temps. Son nom ?

— La personne en question refuse de me le dire.

Johnny hoche la tête. Sans doute quelqu'un qui est mal à l'aise de venir le consulter et qui ne l'assume pas encore complètement.

— Un homme ? Une femme ?

— Je sais pas trop…

Johnny fronce un sourcil, puis :

— Envoie-moi le phénomène.

Il raccroche et relève la tête pour examiner l'individu qui entre dans son bureau quelques secondes plus tard.

Impossible, en effet, d'identifier le sexe de cet être humain. Il doit mesurer environ 1,70 mètre, ses longs cheveux blonds retombent de chaque côté de son cou et deux yeux bleus très doux brillent dans un visage aux traits fins et extrêmement féminins. Mais Johnny y décèle aussi l'ombre d'une barbe bien rasée. Donc, il s'agirait d'un homme très délicat. D'ailleurs, les jambes sous les jeans, de même que la taille, les bras musclés et les épaules larges appartiennent clairement au sexe mâle. Pourtant, ce qui gonfle légèrement cette chemise blanche ressemble drôlement à deux seins, menus, certes, mais réels… Une femme, alors ? Une femme baraquée à barbe ? Et ça, c'est bien une pomme d'Adam, non ? Pendant quelques secondes, Johnny demeure perplexe, et l'individu sourit.

— Est-ce que, telle Méduse, je vous ai pétrifié ?

Ce n'est pas cette voix qui va aider Johnny à arrêter son choix : sans sexe, elle pourrait aussi bien appartenir à un jeune homme efféminé qu'à un *tomboy*. Par contre le timbre est jeune, ce qui contraste avec les pattes d'oie autour des yeux. Aucun cheveu gris dans la longue crinière, mais une calvitie assez prononcée dénude largement le front. Seigneur ! Qui est devant lui ? Une femme de trente ans ou un homme de cinquante ? Déstabilisé, il ne trouve toujours rien à dire, figé derrière son bureau. L'individu fronce un sourcil.

— Monsieur Net, vous allez bien ?

— Oui ! Oui, oui, pardonnez-moi, un contrat avec un client qui me chicote. Bonjour et bienvenue.

Johnny se lève, tend une main que l'autre serre. Les doigts sont doux et fins comme ceux d'une dame, mais la poigne solide comme celle d'un mec. Misère !

— Asseyez-vous.

L'inconnu(e) s'exécute. Il ou elle sourit, affable, mais Johnny remarque une certaine mélancolie diffuse dans ses pupilles.

— Désolé de me manifester à l'improviste…

— Pas de problème, j'ai un trou dans mon horaire. Et vous êtes ?...

Johnny se dit que si cet excentrique répond quelque chose du genre Daniel(le) ou Pascal(e), il se flingue. Mais il a droit à une réplique bien différente, que l'individu lui sert calmement, sans humour, les paumes posées sur ses cuisses :

— Je suis l'Intelligence.

Johnny, qui a les mains croisées sur le bureau, ne réagit pas sur le moment. L'incompréhension apparaît enfin sur ses traits et le sourire de l'autre s'élargit :

— Oui, je sais, c'est une notion vague, mal définie et galvaudée. Mais c'est justement ce qui fait mon charme, non ? Je suis complexe.

— Excusez-moi, je ne comprends pas. Vous êtes l'intelligence de qui, au juste ?

— De personne en particulier. Je suis l'Intelligence en tant que concept.

Johnny cligne des yeux, puis hoche lentement la tête, reprenant son faciès de marbre.

— Bon, c'est très drôle, mais je suis passablement occupé.

— Évidemment, vous ne me croyez pas. C'est fâcheux, mais je m'y attendais. Le problème, c'est que je ne peux pas vous prouver que je suis réellement celui que je prétends être.

Johnny joint les doigts sous son menton, cette fois un brin amusé :

— Par contre, il est facile de démontrer que vous délirez. Une ou deux questions suffiront.

— Vraiment ?

— Par exemple... Je ne sais pas, moi... Quand l'homme a-t-il inventé l'agriculture ?

— La mise en terre de semences ou de graines a débuté il y a dix mille ans, au Moyen-Orient, en Iran et même en Nouvelle-Guinée. Cette période est mieux connue sous la dénomination de révolution néolithique car...

— Divisez les insectes en différents ordres.

— Ma foi, il y en a plusieurs. Les éphémères, tout d'abord, puis les odonates, qui comportent les libellules et les demoiselles ; ensuite les dictyoptères, qui comptent plusieurs sous-ordres comme les Blattodea, les Mantodea, les Isoptera, les...

— Parlez-moi du luth.

— Soyez précis : le luth arabe ou le luth occidental ?

— Je... L'arabe.

— Donc, l'oud. Ou encore *ud*, ou *outi*, à votre convenance. En fait, son nom vient de l'arabe *aloud*, qui veut dire « le bois ». D'ailleurs, saviez-vous qu'il a sans doute inspiré le pipa chinois ?

Johnny se tait, impressionné. L'individu soupire.

— Vous admettrez que jouer les singes savants ne prouve finalement pas grand-chose.

— Parfait. Approfondissons donc un peu. Qu'est-ce que la liberté ?

— Oh, là là ! C'est large, ça ! Il y a eu tant de conceptions ! Celle de l'Antiquité, celle du christianisme, celles purement philosophiques ! Et on parle de liberté collective ou individuelle ? Les points de vue sont légion sur le sujet : Platon, Aristote, Hobbes, Descartes, Rousseau, Sartre…

— Mais justement, si vous êtes l'Intelligence, vous devriez savoir lequel de ces penseurs a raison !

— Allons, allons, l'Intelligence ne donne pas des réponses simples, mais les moyens d'interroger et de réfléchir. C'est déjà pas mal, non ? Réfléchir, c'est choisir, et choisir, c'est refuser ou accepter.

— Et c'est avec ces beaux principes que vous croyez me convaincre ?

— Non, j'en ai bien peur. Et, comme je m'en doutais depuis le début, pour que vous m'écoutiez, je vais devoir utiliser des arguments beaucoup plus concrets.

Là-dessus, il ou elle sort de sa poche une liasse de billets de banque.

— Dix mille d'avance si vous acceptez ma commande.

Johnny ne peut s'empêcher d'écarquiller les yeux. Prudemment, il prend le paquet, le feuillette et constate qu'il doit contenir effectivement plusieurs milliers de dollars. Il lève un regard incrédule vers l'autre qui, les mains croisées sur les cuisses, hausse les épaules :

— Oui, je sais, on vous rétribue normalement par chèque, mais si l'Intelligence possédait un compte bancaire, ça manquerait de sérieux, n'est-ce pas ? Bon, payer comptant, comme ça, sous la table et sans laisser de traces, ce n'est pas très légal, j'en conviens, et la question qu'on pourrait se poser est celle-ci : est-ce que l'Intelligence et l'illégalité font bon ménage ? Voilà certes un débat qui serait palpitant. Vous êtes pâle, mon cher.

Johnny bat plusieurs fois des paupières, puis se carre dans son fauteuil, tentant de prendre un air plus décontracté.

— D'accord. Pour l'instant, je me fous de savoir qui vous êtes vraiment et je suis prêt à écouter votre demande.

— À la bonne heure !

— Alors, comment puis-je vous aider, mons… heu… mad… Pardonnez-moi de manquer à ce point de tact, mais… vous êtes un homme ou une femme ?

— Mais je suis hermaphrodite, bien sûr ! Comment l'Intelligence pourrait-elle avoir un seul sexe ?

L'individu se penche en avant et, avec un sourire complice, ajoute :

— De vous à moi, je suis un peu plus féminin que masculin, sauf qu'il ne faut pas le dire, ça ferait grincer bien des dents, surtout en ces temps de rectitude politique…

Johnny se passe une main dans les cheveux, à la fois agacé et déconcerté.

— Mais alors, je vous appelle comment ?

— Appelez-moi Intel. C'est familier et sympathique, non ?

Johnny semble se demander une dernière fois s'il doit prêter l'oreille ou non à cet(te) original(e), puis, fasciné malgré lui, abdique :

— Je vous écoute, Intel.

— Voilà : à travers les millénaires, j'ai traversé toutes sortes de crises. Par exemple, vous avez sans doute remarqué que je suis plutôt maigre. Croiriez-vous que, dans l'Antiquité, j'étais gras et joufflu ?

— Vous venez de parler de vous au masculin.

— Eh bien, oui. En français, le genre neutre est le masculin, non ? C'est pour simplifier les choses. Mais, si vous le désirez, nous pouvons discourir en anglais. Ou utiliser une langue sans genre, comme le basque ou l'estonien. Ou encore le mandarin, puisque l'opposition masculin-féminin n'apparaît qu'à l'écrit...

— Le masculin neutre français me convient très bien, si ça ne vous dérange pas. Vous me pardonnerez, mais j'ai peu pratiqué mon basque dernièrement...

— Très bien. Donc, dans la Grèce antique, je me portais très bien. Oh, je sais, il y avait l'esclavage et d'autres injustices, mais tout de même, les grands philosophes et la naissance de la démocratie provoquaient chez moi un embonpoint des plus confortables. Puis, la chute de l'empire romain et l'invasion des barbares m'ont fait maigrir de manière assez spectaculaire et j'ai touché le fond avec le Moyen Âge. Mais, peu à peu, j'ai repris du poids, surtout grâce aux moines des abbayes qui conservaient précieusement et reproduisaient le savoir universel, filtré par la subjectivité de la religion, certes, mais tout de même. Au siècle des Lumières, j'ai connu une santé florissante. Et puis, depuis deux cents ans, il y a des hauts et des bas. Mais, récemment, un phénomène nouveau est apparu qui m'a beaucoup nui : la possibilité pour tout le monde de devenir populaire. Et ce, peu importe la manière d'y parvenir.

Le visage de Johnny s'assombrit légèrement.

— À cet égard, l'internet et la téléréalité ne m'ont vraiment pas aidé. Alors j'ai décidé de combattre le feu par le feu.

Intel, presque malicieux, redresse la tête.

— Je veux que la technologie soit aussi à mon service. Si l'internet sert la bêtise, il devrait pouvoir en faire tout autant avec l'intelligence.

Silence. Johnny, qui a toujours les doigts sous son menton, demande prudemment :

— Et moi, qu'est-ce que je viens faire là-dedans ?

— Vous ne voyez pas ? C'est pourtant bien votre travail, non ?

— Vous souhaitez que je trouve un concept vidéo pour vous aider ?

— Exactement.

Johnny se caresse le sourcil droit, mais demeure calme.

— C'est ironique, non ? Vous prétendez être l'Intelligence et vous avez besoin de moi pour être connu...

— Seul, je ne peux rien faire. On doit se servir de moi. C'est pour ça qu'il faut que ce soit vous qui produisiez la vidéo.

— Un instant. Je ne produis rien, moi. Je donne des conseils, je monte un concept, et mes clients l'utilisent à leur guise.

— Avec moi, ce sera un contrat différent. Vous créerez et filmerez la vidéo vous-même. Je vous rembourserai les frais de production, il va sans dire.

— C'est donc moi qui vous filmerais ?

— Oh, non ! Il n'est pas question que j'apparaisse dans le clip, en tout cas pas sous ma forme actuelle ! Vous avez vu de quoi j'ai l'air ? L'échec serait total. En plus, je vous ai dit ne pas aimer la célébrité.

— Pourtant, vous voulez être une star sur le net.

— Pas tout à fait. En fait, je veux que vous me redonniez mes lettres de noblesse, vous me suivez ?

Johnny dépose ses deux mains sur le bureau et les fixe un moment, la bouche entrouverte, puis, lentement :

— Je résume : vous voulez que je produise un clip dans lequel vous ne seriez pas, heu... physiquement présent, mais qui rendrait... les gens... intelligents.

— Ça s'approche de ça.

— C'est ça ou c'est pas ça ?

— Allons, je ne peux pas accomplir tout le travail à votre place, sinon pourquoi vous engager ? Mais c'est un excellent point de départ.

Johnny toise avec intensité l'hurluberlu, tandis que ce dernier, calme et serein, observe les laminages sur les murs en replaçant une mèche de ses longs cheveux sur sa calvitie. Johnny dit enfin :

— Vous m'avancez dix mille dollars pour que je vous trouve un concept, vous le présente et…

— Inutile de me le présenter. Tournez la vidéo et diffusez-la, sans mon approbation. Je reviendrai vous voir à ce moment-là pour vous annoncer si vous avez réussi ou non.

— Comment saurez-vous que j'ai réussi ?

— Je le saurai, je vous assure.

— Vous serez seul juge ?

— Oui, je sais, c'est une idée très répandue : l'intelligence est une notion subjective… Vous voulez en débattre maintenant ?

— Non, grogne Johnny en se levant.

Il arpente la pièce, les mains dans les poches, puis se retourne vers son visiteur androgyne. Son visage semble en proie à l'incertitude.

— Et si mon travail vous satisfait, vous me donnerez un autre dix mille dollars ?

— Ce que je vous donnerai sera une récompense qui vaudra beaucoup plus.

— Crisse, vous ne pouvez pas me répondre clairement, juste une fois ?

— Je suis l'Intelligence, pas la Facilité.

— Franchement, qui êtes-vous ?

— Je vous l'ai dit et vous ne me croyez pas. Alors, vous acceptez ou pas ?

Johnny joue légèrement des mâchoires, hésite encore un moment, reluque la liasse de billets, puis :

— OK, j'accepte.

— Formidable !

Intel se lève, tout content, puis tend la main à Johnny qui, plus ou moins convaincu, la serre. Intel redevient sérieux :

— Mais je vous préviens tout de suite que vous devrez faire face à des obstacles au cours de votre mission. Trois pièges, pour être précis.

— Quels pièges ?

— À vous de les reconnaître et de les éviter.

Johnny soupire. Le visiteur rejoint la porte en répétant :

— Quand la vidéo sera terminée, mettez-la en ligne et je reviendrai vous voir. Maintenant, je dois y aller. Si vous saviez le nombre de personnes à qui je dois rendre visite... Pas toujours avec succès, d'ailleurs...

— Tout de même, laissez un numéro à ma secrétaire, au cas où je...

— Inutile. Au revoir, Johnny. Et bonne chance.

Il sort. Johnny marche de long en large, puis son téléphone sonne.

— Johnny, la... personne qui était dans ton bureau m'a dit qu'elle t'avait payé directement, c'est vrai ?

— C'est vrai.

— Finalement, c'est un homme ou une femme ?

— Il est encore là ?

— Il vient tout juste de partir.

— Suis-le, Sonia ! Je veux savoir où il va, où il habite.

— Hein ? Comment ça ? Je suis pas une espionne, moi...

— Je te paierai un surplus, d'accord ?

— Mais... t'as un client dans quinze minutes !

— Je m'en occupe ! Vite, tu vas le perdre !

Elle maugrée quelque chose et raccroche. Johnny se renverse dans son fauteuil, profondément perplexe. Il fixe à nouveau la liasse de billets, comme pour s'assurer qu'il n'a pas imaginé tout ça.

* * *

Gagnon, assis face à Johnny, les mains sur les cuisses, ouvre la bouche, la referme, fronce les sourcils, et commente enfin :

— C'est bizarre, comme idée, non ?

— En tout cas, ça répond à tout ce que vous aimez : le plaisir de faire peur, de jouer des tours et de rouler en voiture.

— Mais tu penses que ça va me rendre populaire, ça ?

— J'en suis convaincu. Les gens vous trouveront vraiment cool et attendront avec impatience votre prochaine victime.

— Victime, victime, faut pas exagérer ! C'est pour rire, tout ça.

— Bien sûr. En fait, c'est le même principe que les émissions du genre *Drôles de vidéos*. Ce n'est pas vraiment méchant, c'est juste ludique.

— C'est juste quoi ?

— Amusant.

Guillaume réfléchit, comme s'il tentait de visualiser le concept. Il finit manifestement par le voir car, lentement, un sourire étire ses lèvres.

— Ouais… Ouais, ça peut marcher ! Pis je sais déjà à qui je pourrais demander de m'aider ! Fafard pourrait filmer…

— Alors, vous achetez le concept ?

— OK, pourquoi pas ?

— Parfait. Cinq cents dollars. Vous pouvez faire votre chèque ici même, ma secrétaire est absente pour le moment.

Guillaume remplit un chèque puis ricane en signant :

— Ouais, je pense que ça va être vraiment drôle ! J'ai hâte de commencer !

— Je vous comprends.

Gagnon, sur le point de lui tendre le chèque, se ravise et le ramène à lui, avec un ric-tus entendu :

— Je pourrais dire que l'idée me plaît pas, m'en aller sans payer pis prendre ton concept quand même.

— C'est vrai.

— Tu ferais quoi ? T'enverrais des *goons* me casser les jambes ? Comme dans un film de gangsters ?

— Mais non, je ne suis pas un criminel.

— Tu ferais quoi, d'abord ?

Johnny se carre dans sa chaise et croise les mains.

— Le dernier qui m'a fait le coup était un type de quarante ans, il y a six mois. Je passe évidemment beaucoup de temps sur YouTube et j'ai remarqué que le gars avait filmé une vidéo en utilisant mon concept, qu'il avait pourtant refusé. Alors, j'ai monté une campagne de salissage contre lui. Je vous rappelle que mon travail est justement de trouver des idées, qu'elles soient positives... ou négatives.

— Et ç'a marché ?

— Un mois après, le gars revenait me payer, en me suppliant d'arrêter de mettre en ligne ces clips qui l'humiliaient.

— Même si tu me connais presque pas, tu penses vraiment que tu pourrais créer des vidéos pour me ridiculiser ?

— Vous voulez tenter l'expérience ?

Les deux hommes se regardent un moment en silence, Johnny de marbre, Gagnon incertain. Puis, ce dernier ricane et tend enfin le chèque à Johnny.

— Ton concept est bon. J'ai déjà hâte de filmer le premier clip.

— Je vous souhaite bien du plaisir, Guillaume, et beaucoup de succès.

Johnny se lève et va ouvrir la porte, que Gagnon franchit. Au même moment, Sonia rentre dans la salle d'attente, de mauvaise humeur. Johnny attend que son client soit parti, puis demande :

— Alors, où est-il allé ?

— Je le sais pas.

— Comment, tu le sais pas ? Il a pris un taxi ? Une voiture ?

Elle retourne derrière son bureau en levant les deux bras, exaspérée :

— Non, non, il marchait, mais à un moment donné, on est arrivés dans une grosse foule qui était là pour le festival de la Corde à danser, tu sais comment ça attire du monde chaque année… Et là, j'ai eu l'impression de voir notre client à trois ou quatre endroits en même temps, et chaque personne qui lui ressemblait allait dans une direction différente… Je savais plus qui suivre, c'était bizarre. Je me croyais carrément dans un roman de Kafka ! J'ai fini par abandonner.

— Tu lis Kafka ?

— J'ai lu *Le procès* pis *La métamorphose*, oui.

Johnny hausse un sourcil d'étonnement. Sonia conclut :

— Ensuite, je l'ai carrément perdu ! Alors je suis revenue.

Johnny se gratte la tête. Sonia replace ses cheveux bruns ondulés, prend une grande inspiration, rassurée de réintégrer son poste, puis demande :

— Finalement, c'est un homme ou une femme ?

* * *

— Alors, t'as vu un bon film récemment ou lu un bon livre ?

Ève, debout à gauche du lit, commence à enlever son tailleur BCBG. Johnny, à moins d'un mètre devant elle, se livre au même exercice avec sa chemise.

— Je suis très occupée ces temps-ci, on est en pleine fin de session à l'université, j'ai des travaux jusque-là... Mais oui, j'ai vu *Une sépara-tion*, tu sais le film iranien qui a gagné un oscar...

— Je l'ai vu aussi. Très fort, hein ?

— Vraiment ! approuve Ève, maintenant en sous-vêtements. Ce qui est intelligent, c'est que personne n'a tort ou raison dans cette histoire. Tout le monde tente de s'en sortir du mieux qu'il le peut, c'est incroyablement juste et humain.

Elle enlève son soutien-gorge, mais pas ses lunettes rondes. Elle s'allonge sur le lit et effleure doucement son sexe à travers son string. Johnny, qui est nu lui aussi, demeure debout et commence à caresser son membre à son tour.

— Tout à fait d'accord. Et la fin ! La toute dernière scène, c'est tellement brillant, tellement touchant !

Ève, de son autre main, tâte son petit sein gauche tandis que ses doigts glissent sous son slip. Son timbre devient un peu plus langoureux :

— C'est vrai. Ça montre justement que personne a tort ou raison. Le film évite ainsi de faire un choix subjectif : chaque protagoniste est victime de ce drame, y a pas de gagnant.

— Exactement, fait Johnny en enfilant un condom. Quoi d'autre ?

Ève, d'un mouvement rapide, enlève son string et continue à se masturber, les yeux mi-clos, la voix vaporeuse.

— J'ai lu… *99 francs* de Beigbeder…

— Ah, oui. Amusant, mais sans plus.

— Et encore… Je trouve ça… très… hmm… tape-à-l'œil…

Johnny grimpe sur le lit et, délicatement, pénètre Ève.

— C'est vrai, dit-il en commençant son va-et-vient. En fait, c'est plus un pamphlet qu'un roman.

— C'est en plein ça, minaude Ève en caressant les fesses de son partenaire. Beigbeder est tellement… préoccupé à dénoncer qu'il oublie... souvent de raconter une histoire... Son dernier, *Un roman français*, est... ben meilleur...

— Pas encore lu...

— Tu... hmmmmmm... devrais...

Il se retire et se couche sur le dos. Ève monte aussitôt sur son sexe, bouge d'abord lentement en se massant les seins, puis de plus en plus rapidement.

— Et tes cours ? demande Johnny.

— On est en train... d'étudier *L'individuali-sation de la peine*... Saleilles a écrit ça... en 1898, mais c'est vraiment... houuuuffffffff... une référence en droit... C'est très brillant...

— J'imagine, grogne Johnny, qui sent l'excitation monter de plus en plus.

— ... très fort...

— ... oui...

— ... très intense !

— ... ouiiiiii !

L'orgasme de Johnny s'étire sur de longues secondes, puis il s'immobilise en soupirant. À l'instant, Ève descend du lit pour se diriger vers la salle de bain en lançant :

— Eh ben, ç'a été vite aujourd'hui !

Toujours couché, Johnny écoute le son du robinet qu'on ouvre et secoue la tête.

— Est-ce que, juste une fois, tu pourrais rester un peu près de moi avant de courir te laver ?

Il l'entend rigoler :

— La plupart des clients s'en foutent que je sorte du lit tout de suite après.

— Je ne suis pas un client comme les autres, moi.

— C'est vrai, t'as pas le profil. Je comprends d'ailleurs pas pourquoi tu continues à payer pour t'envoyer en l'air. T'as vraiment de la difficulté à trouver des femmes pour baiser ?

— Une femme doit me stimuler le cerveau et la queue, et dans cet ordre.

— Franchement, les belles filles intelligentes, il y en a plein ! Elles ne t'intéressent pas ?

Le robinet se ferme et Johnny perçoit le bruit d'une serviette que l'on frotte vigoureusement sur la peau.

— Bien sûr qu'elles m'intéressent, dit-il, mais aussitôt qu'elles apprennent qui je suis ou ce que je fais dans la vie, ces femmes intelligentes se détournent de moi.

Ève revient s'étendre dans le lit, la tête appuyée contre sa main.

— On peut pas leur en vouloir.

— Je ne leur en veux pas.

— C'est légitime de se demander pourquoi un gars brillant comme toi fait le travail que tu fais.

— Et pourquoi une fille intelligente comme toi fait-elle ce boulot ?

Elle se couche sur le dos.

— C'est compliqué.

— Et voilà.

Il se lève et commence à enfiler ses vêtements.

— Mais là, j'ai un contrat pas mal spécial : je dois produire et réaliser moi-même un clip. Pour un client pas du tout banal, qui est venu me voir il y a deux jours. Et j'ai trouvé le concept. Je m'en vais justement le tourner.

— Tant mieux si ça te stimule.

— Tu ne veux pas savoir quel genre de client ?

— Ça m'intéresse pas vraiment.

Habillé, il la considère un moment.

— Avoue que toi non plus tu ne voudrais pas d'une liaison avec un gars comme moi.

Toujours couchée sur le côté, elle soutient son regard tandis qu'elle répond d'une voix neutre :

— J'avoue.

Il hoche la tête, tout de même étonné d'une telle franchise. Il réplique :

— Pourtant, nos métiers ne sont pas si différents.

S'il souhaitait l'ébranler, c'est raté car elle se contente de rétorquer avec ironie :

— Oh que oui, monsieur Net. Dans mon travail, le client est satisfait…

— Dans le mien aussi.

— Mais dans mon cas, le client sait que je vends de l'illusion.

Johnny conserve le silence, les traits assombris, puis il se penche pour enfiler ses souliers. Au moment de sortir, il envoie un baiser à Ève, qu'elle ne lui rend pas.

* * *

Au Château, son café préféré, Johnny finit de manger son repas, referme le journal et étire les muscles de ses bras et de sa nuque. Il doit y avoir une dizaine de personnes dans la petite salle : un couple de vieux qui s'engueulent, un adolescent qui pianote sur son cellulaire en riant bêtement, deux femmes qui comparent la couleur de leur teinture, trois hommes qui se plaignent du gouvernement et qui assurent que, si eux-mêmes étaient au pouvoir, les « affaires changeraient assez vite merci… », mais l'une des clientes retient tout à coup son attention. Une jeune femme seule, début trentaine, jolie, avec des cheveux courts châtains. Elle mange une salade en lisant un bouquin.

Johnny l'observe un instant. Il la trouve tout de suite attirante. Il aime sa beauté discrète, le fait qu'elle lise en mangeant, sa main gauche qui caresse distraitement son cou.

Il y a deux ans, il aurait attendu qu'elle relève la tête, qu'elle croise son regard et il lui aurait souri. Mais maintenant, il n'a plus cette audace.

Car ça ne peut que mal finir pour lui.

À regret, il détache ses yeux de la lectrice toujours plongée dans son livre, se lève, laisse un billet de vingt dollars sur la table et se dirige vers la sortie.

3

Le nain est assis sur la chaise et ses pieds pendent dans le vide. Johnny l'observe d'un air neutre, même s'il ressent une certaine pitié. Charles Desmarais n'est pas seulement nain, mais également particulièrement laid.

— Donc, vous avez toujours rêvé d'être acteur, résume Johnny, les mains croisées sous le menton.

— Mais j'en suis un ! J'ai suivi des cours !

Même sa voix est caricaturale : haut perchée, nasillarde.

— Mais, par la suite, les seules productions qui m'ont engagé, c'était évidemment pour jouer le nain de service ! J'ai quarante-trois ans, j'en ai ma claque de personnifier des gnomes !

— Je comprends cela.

—J'ai songé à passer une audition pour l'émission *Vivre au Max*, il y a quelques années, vous vous souvenez ? Mais, franchement, c'était trop *freak show* et j'ai renoncé. Et quand on regarde ce qui est arrivé à son animateur, ce fou furieux de Max Lavoie, je me dis que j'ai drôlement bien fait !

—Et ça fait combien de temps que vous faites ces vidéos sur YouTube ?

—Environ six mois. Toutes des reconstitutions de grands moments du cinéma !

Johnny tourne la tête vers l'écran de son ordinateur, qui est ouvert sur le site YouTube, puis appuie sur *Play*. Dans la fenêtre, Desmarais est accompagné d'un ami et refait la scène finale du film *A Few Good Men*, dans un décor fauché qui rappelle vaguement une salle de cour de justice. Desmarais joue manifestement le rôle tenu par Tom Cruise. Puis, dans une seconde vidéo, on le voit remplacer Tom Hanks dans *The Green Mile*. Enfin, dans un troisième bout d'essai, il personnifie Jack Nicholson dans *As Good as It Gets*. L'homme ne joue pas trop mal, sauf qu'il est impossible d'oublier qu'il s'agit d'un nain et l'impression qui se dégage de ses interprétations est donc ambiguë.

—J'ai tourné cinq autres vidéos comme celles-là ! clame-t-il.

— Toutes inspirées uniquement de films américains ?

— Je souhaitais prendre les plus grandes œuvres du cinéma, donc j'avais pas vraiment le choix. Et puis, je veux intéresser les gens, pas les ennuyer !

Johnny se frotte le nez en hochant la tête, puis inscrit sur sa feuille de papier : « Films populaires américains, conformistes et rassembleurs ; pas des navets, mais loin d'être des chefs-d'œuvre. » Il dépose son crayon et croise les mains à nouveau :

— Alors, quel est le problème ?

— Le problème, c'est que presque personne visionne mes performances sur YouTube ! Je reçois quelques commentaires, certains encourageants, d'autres carrément moqueurs, mais si peu nombreux que ça vaut même pas la peine d'en parler !

— Pour vous, c'est insuffisant, c'est ça ? Vous aimeriez être vu.

Desmarais a un ricanement ironique et écarte les bras, comme pour s'exposer.

— Regardez de quoi j'ai l'air, Johnny. Ça fait quarante-trois ans qu'on me voit. Mais je veux qu'on me voie pour les bonnes raisons. Je veux qu'on reconnaisse mon talent, pas juste mon handicap !

Johnny couche encore quelques notes sur le papier, puis, tout à coup, un vrombissement secoue les murs de la pièce. Devant l'air interrogateur de son client, Johnny explique calmement sans cesser d'écrire :

— C'est rien, on monte juste des cadavres.

— Quoi ?

— Le complexe funéraire au quatrième, Le Phénix, utilise un monte-charge particulièrement bruyant...

Desmarais ne réplique rien et écoute le vrombissement, pâle et un peu perplexe. Johnny dépose son crayon :

— Parfait, monsieur Desmarais, j'aurai quelque chose à vous proposer dans deux jours.

— J'ai déjà hâte, Johnny !

Plein d'espoir, le nain doit étirer tout son corps pour serrer la main de Johnny, qui l'accompagne jusqu'à la porte. Celui-ci revient ensuite à son bureau et ouvre le courrier de la journée. Une des enveloppes renferme une invitation :

Vous êtes cordialement invité au lancement
du tout premier disque de
MARILOU LAFLEUR

Le lancement est dans deux jours. Johnny examine longuement le carton, l'air grave et incertain, lorsque Sonia l'appelle pour lui dire qu'Intel vient d'arriver et qu'il voudrait le rencontrer.

— Parfait, fais-le entrer.

Johnny demeure debout devant son bureau, un tantinet excité, et réalise qu'il ne s'est pas senti comme ça depuis un bon moment. Intel, toujours aussi androgyne, entre et tend la main en souriant. Johnny détecte quelque chose de légèrement différent dans son physique, mais il n'arrive pas à mettre le doigt sur ce que c'est.

— Si vous venez me voir aujourd'hui, c'est que vous êtes au courant que j'ai mis votre vidéo en ligne hier après-midi.

— Exactement.

— C'était un tournage ambitieux, mais comme j'ai engagé des techniciens vraiment professionnels, je suis plutôt content du résultat. Et vous ? Qu'en pensez-vous ?

Johnny garde une attitude neutre et professionnelle, mais il triture ses doigts, derrière son dos.

— On peut la regarder ensemble ? propose Intel.

— Certainement.

Ils se retrouvent tous deux devant l'ordinateur de Johnny, qui se branche sur YouTube.

Dans la section recherche, Johnny tape un titre et une vidéo apparaît. La scène se passe sur un immense yacht, sur une vaste étendue d'eau, sous le soleil. Le bateau est rempli de beaux mecs, Blancs et Noirs, qui boivent, hochent la tête avec une grimace prétentieuse et font des simagrées avec leurs bras et leurs doigts. Autour d'eux, des filles en bikini dansent, se cajolent entre elles et lancent des œillades salaces aux spectateurs. Au centre de cette fête, un Noir musclé, la poitrine nue recouverte de bijoux clinquants, chante une chanson qui est, en fait, « Le vaisseau d'or » de Nelligan, version hip-hop.

Ce fut un grand Vaisseau taillé dans l'or massif, yo !

Ses mâts touchaient l'azur, sur des mers inconnues, han ! han !

Deux filles très sexy, en train de s'enduire de crème solaire, tournent le visage vers la caméra et répètent « han-han » avec des moues de chattes. Johnny jette de discrets coups d'œil vers Intel qui visionne le clip sans aucune réaction. Lorsque le chanteur conclut enfin « Hélas ! il a sombré dans l'abîme du Rêve », les filles commencent à détacher leurs maillots de bain, les gars leur versent de la bière sur le ventre, puis un dernier plan montre le yacht qui s'éloigne dans le soleil couchant.

Intel ne dit toujours rien. Johnny se frotte le nez, puis pousse une feuille vers son client :

— Voici les frais de production. C'est cher, mais comme vous m'aviez assuré que vous me rembourseriez...

— Aucun problème, je laisserai la somme à votre secrétaire.

— Donc, vous avez aimé le clip ?

— La question n'est pas si j'aime ça ou non, la question est de savoir si cette vidéo va m'aider.

— Eh bien... C'est un poème de Nelligan, un auteur majeur...

— Pourquoi avoir choisi ce texte ?

— C'est un de mes préférés.

— Et un des préférés de votre mère aussi, n'est-ce pas ?

Johnny ouvre de grands yeux, mais avant qu'il n'ait le temps d'exprimer son étonnement, Intel, tout en s'asseyant dans un fauteuil, demande :

— Mais la vidéo n'a rien à voir avec les vers de Nelligan, vous en conviendrez.

— Bien sûr que non. Le visuel n'est là que pour attirer les internautes. C'est connu : du rap et des filles sexy, c'est vendeur. La preuve (il indique l'écran de son index) : en une journée, il y a eu plus de six mille visiteurs.

Silence. Intel hoche doucement la tête. Johnny s'assoit sur le coin de son bureau et, dérouté, croise les bras pour se donner une contenance. Intel passe les doigts dans ses longs cheveux puis dit :

— Je vous avais prévenu que, durant votre mission, vous pourriez rencontrer trois obstacles majeurs qui, en fait, sont des pièges. Vous vous souvenez ?

— Heu… vaguement.

— Eh bien, je crois que vous avez foncé droit dans l'un d'eux.

— Lequel ?

Au même moment, la porte du bureau s'ouvre et un quidam entre sans cérémonie. Abasourdi, Johnny réalise qu'il s'agit encore d'une sorte d'hermaphrodite habillé d'un pantalon et d'une chemise neutres, et dont les cheveux courts sont coiffés comme ceux d'une femme. L'individu est doté d'une peau lisse et sans poils sauf sous le nez, où pousse une moustache. Il arbore une poitrine plate et musclée, mais aussi des hanches aux lignes onduleuses très féminines. Et ce qui se dégage de son visage est une suffisance et un cynisme qui rendent l'inconnu repoussant.

— Salut, Johnny ! Je suis venu te féliciter pour ta vidéo !

Il fait quelques pas, marchant comme un cow-boy, tandis que Sonia entre sur ses talons, outrée :

— Johnny, j'ai pourtant prévenu ce... cette... cette personne que tu étais en réunion, mais elle est entrée quand même en m'envoyant au diable !

— Avant qu'une secrétaire me dise quoi faire, il va faire beau en ostie !

Johnny, qui s'est redressé dans un élan de colère, veut répliquer quelque chose, mais Intel, toujours assis, fait un petit signe apaisant en affirmant :

— Tout va bien, Johnny.

— Quoi ?

Johnny ignore comment réagir, puis bredouille à Sonia qu'elle peut disposer. Piquée, cette dernière sort en refermant la porte plutôt brusquement. Johnny s'adresse à Intel, en pointant le visiteur :

— Alors, c'est qui ce... cette... Votre ami ?

— Nous nous connaissons, c'est vrai, mais nous ne sommes pas vraiment amis...

— Hé ! Moi, je voudrais ben ! précise le nouveau venu en levant deux mains larges et carrées, mais aux ongles longs et vernis. Mais tu sais tellement pas comment ça fonctionne, le show-business ! T'es tellement *out* !

Il désigne Johnny avec un sourire gaillard.

— Mais toi, le grand ! Toi, t'as compris ! Des gros Cro-Magnons qui chantent du rap et qui sont entourés de belles plottes en chaleur, ça, ça marche ! Parce qu'on s'entend que juste un fif qui récite un poème, ça aurait passé dans le beurre pas à peu près ! Mais là, six mille visiteurs en une journée ! Chapeau, chef ! (Il regarde autour de lui.) Par contre, côté déco, c'est pas fort, chez vous. Surtout tes laminages, sur le mur, là... (Il lorgne les vêtements conservateurs de Johnny.) Quoique, ça fite avec ton look sans personnalité...

— Mais... mais qui êtes-vous !?!

L'individu s'approche et tend la main, le sourire plus arrogant que jamais.

— Je suis le Mépris, *man* !

Johnny, subjugué, lui serre la main. Le Mépris retire ses doigts et les examine en grimaçant, d'un air dégoûté, puis, reprenant son sourire, il assène une claque sur l'épaule de Johnny :

— Ben c'est ça, j'étais juste venu te féliciter ! Pis si tu fais une autre vidéo, fais-moi signe, j'ai plein d'idées ! Par exemple, tu pourrais réciter du Baudelaire dans un party plein de *douchebags* ! Ah, oui : la fête pourrait se passer dans une maison privée pis ça dégénérerait, comme dans le film *Project X*! L'as-tu vu?

— Non.

— C'est niaiseux en ostie, mais les jeunes ont tripé, ils sont tellement naïfs! Ils veulent tous faire un party de même chez eux, gang de tartes! (Il va vers la porte.) Allez, faut que je parte! Encore bravo! (En chemin, il décoiffe d'un geste moqueur les cheveux d'Intel.) Salut, cocotte! Lâche pas, tu vas peut-être pogner un jour!

Intel, pas du tout irrité, replace sa chevelure. Le Mépris sort enfin, puis c'est le calme. Johnny ne dit mot, déstabilisé. Intel sourit en haussant les épaules :

— Vous êtes tombé dans le premier piège.

— Mon œil! J'ai eu six mille visionnements!

— Vous avez lu les commentaires sur votre clip?

Johnny détourne le regard.

— Quelques-uns.

— Et que disent-ils pour la plupart?

— Je me rappelle plus vraiment...

— Laissez-moi vous rafraîchir la mémoire.

Et, comme s'il les avait sous les yeux, Intel récite :

— « Wow! Super belles pitounes! Pis le beat est bon, bravo! » « On peut-tu le louer, ce

yacht-là ? » « Le chanteur a un super *chest*, je
veux son numéro ! », etc. Je crois qu'il y a eu
deux observations sur les paroles de la chanson : « C'est quoi, ces paroles poches là, j'ai
rien compris ! » et « Y sont pas sur un vaisseau
d'or, y sont sur un yacht ! » Ah, oui, un inter-
naute connaissait manifestement Nelligan et il
a écrit : « Nelligan en *gangsta rap*. C'est la fin de
tout ! Honte à nous ! »

Johnny hausse les épaules :

— Et alors ? On s'en fout, des commentaires ! Vous vouliez être populaire, vous l'êtes !

— Je n'ai jamais dit que je voulais être une
vedette, Johnny.

— Mais… vous voulez quoi, alors ?

— Juste un coup de pouce pour me redon-
ner mes lettres de noblesse.

— Un coup de pouce ?!

Johnny soupire. Intel, calme, dit avec
malice :

— Toute une personnalité, ce Mépris, pas
vrai ?

— Extrêmement désagréable !

— Vous trouvez ? Pourtant, vous le côtoyez
tous les jours.

— Qu'est-ce que vous insinuez ? se fâche
Johnny.

— Exactement ce que j'ai dit. Le plus triste, c'est que vous n'avez pas toujours été comme ça. Vous y avez déjà cru.

— J'ai déjà cru à quoi ?

— Aux gens. Quand vous produisiez ces chanteurs de talent, il y a quelques années…

— Mais comment vous savez ça ?

— Si vous produisiez de si bons spectacles, c'est parce que vous y croyiez, non ?

— Ouais, mais j'étais le seul ! Presque personne ne venait les voir, ces shows !

— Et alors ? Vous vous imaginez que Nelligan, à l'époque où il écrivait, était une grande vedette ?

Johnny ne rétorque rien, buté, les bras croisés. Intel émet un claquement de langue et se lève, puis il désigne quelque chose sur le bureau : c'est le carton d'invitation pour le lancement du disque de Marilou Lafleur.

— Vous devriez y aller. Cette fille a été l'élément déclencheur de ce que vous êtes devenu, non ?

— Mais comment savez-vous ç…

— Johnny, arrêtez de me demander comment je sais telle ou telle chose, c'est lassant.

Il se dirige vers la sortie. Johnny, à nouveau assis sur son bureau, soupire :

— Je suppose que je n'aurai pas la seconde partie de mon paiement.

— En effet. Mais faites un second essai. Et attention aux deux autres pièges…

— Si vous me disiez lesquels, ça m'aiderait !

— Allez, bonne chance, mon cher ! J'ai confiance en vous !

Et tout à coup, tandis qu'Intel lui tourne le dos et ouvre la porte, Johnny met le doigt sur ce qui a changé chez son client.

— Vous avez un peu maigri, non ?

Intel se retourne. Et, cette fois, son sourire est triste.

— Je maigris tous les jours, Johnny.

Puis, il sort en refermant doucement la porte. Johnny se passe la main dans les cheveux en prenant une grande inspiration. Déçu, il donne un petit coup de poing sur son bureau. Son regard tombe sur le carton d'invitation. Puis il s'approche de la fenêtre. La lumière du soleil lui fait plisser les yeux, mais il ne les détourne pas, contemple le fleuve surexposé, plus bas, à trois cents mètres de l'Orphéon.

« Vous y avez déjà cru… »

Il baisse le regard.

***

Au moins la moitié de la colonie artistique québécoise se trouve dans la salle du prestigieux hôtel. Tout le monde est beau, tout le monde est chic, tout le monde rit trop fort, tout le monde aime tout le monde. Un verre à la main, Johnny écoute Marilou, debout sur la scène montée pour l'occasion, habillée d'une robe de gala, très attendrie du haut de ses vingt-six ans. En apercevant les larmes briller dans ses yeux, Johnny se dit qu'elle n'a pas oublié les premiers conseils qu'il lui a donnés il y a un peu plus de deux ans. Elle termine de lire sa liste de remerciements qui s'étire jusqu'à plus soif et, enfin, elle lève la tête vers la foule et clame, la voix brisée :

— Et, finalement, merci à vous tous d'être là ! Un premier album, c'est hyper important ! Je vous aime toute la gang !

La salle explose en applaudissements, certains ont même le regard embué, puis Marilou fait un signe à son orchestre. Les gars, qui dormaient presque dans leur coin, sursautent et commencent à jouer une mélodie sirupeuse : Marilou entonne la chanson, intense, le regard perdu dans une émotion qu'elle s'efforce de projeter jusqu'à l'autre bout de la ville. Johnny se frotte le front en réprimant une grimace d'agacement. Pourquoi est-il venu, au juste ?

Pour remonter aux sources, comme l'a suggéré Intel ? En tout cas, aussi insignifiante soit-elle, Marilou est au moins reconnaissante. En invitant Johnny, elle admet que c'est lui, ou plutôt Jean Hetier, qui lui a donné son premier coup de pouce. Ce qu'elle ignore, c'est que l'intention première de Johnny n'était pas de l'aider…

Son premier contact avec Marilou avait eu lieu quelques semaines après qu'il avait abandonné sa courte carrière de producteur. Il en avait marre de monter des spectacles qui n'étaient vus que par une poignée de spectateurs, marre de se battre contre des compagnies de disques qui ne trouvaient pas ses chanteurs et chanteuses assez vendeurs, marre de se dresser contre la médiocrité. Impétueux comme on peut l'être à trente ans, il avait donc tout balancé par-dessus bord et, pendant deux mois, il s'était cloîtré chez lui pour broyer du noir, se demandant ce qu'il allait faire de sa vie. Ses amis l'évitaient, trouvant son pessimisme contagieux, et même Julie l'avait quitté, lassée par son cynisme. Un soir, passablement ivre, alors qu'il naviguait sur YouTube à la recherche de clips de ses anciens poulains, pour se confirmer que tout le monde s'en foutait (et, effectivement, il n'avait rien trouvé), il était tombé par hasard sur la vidéo maison d'une certaine Marie-Louise Laplante, qui habitait Drummondville et qui se filmait dans un trois et demie en train de faire du karaoké sur une pièce mielleuse de Marie-Élaine Thibert. La voix était belle et juste, mais vide de véritables émotions, sans personnalité, calquée sur toutes les grandes interprètes connues. La jeune femme chantait en arpentant sa chambre, mimant une mélancolie fausse et risible, mais le comble du ridicule avait été atteint lorsque, vers le milieu de la chanson, elle s'était emparée du gros ourson en peluche qui trônait sur son lit et l'avait serré contre elle. Jean, consterné, avait longuement secoué la tête. Il avait jeté un coup d'œil sur les nombreux commentaires : si certains étaient élogieux, la majorité jugeait la vidéo quétaine. Jean avait vidé sa huitième bière d'un trait et, pour la première fois de sa vie, avait inscrit un commentaire sur You-Tube, avec un malin plaisir de surcroît, dans le but de ridiculiser encore plus cette fille : « Au lieu de chanter une chanson à un toutou, va plus loin dans le mélo et chante-la à un enfant handicapé… »

Et il avait cuvé sa bière dans son lit en rigolant méchamment.

Sur la scène, Marilou termine sa chanson sous un tonnerre d'applaudissements, salue la foule qui commence même à faire la vague en scandant son nom. Une main sur le cœur, la bouche pincée de gratitude, la chanteuse entame une seconde pièce du même acabit. Johnny avale une gorgée de son verre. Comment avait-elle pu le prendre au sérieux ? Car c'est exactement ce qu'elle avait fait. Environ deux semaines après cette soirée YouTube, Jean avait lu dans le journal un petit encadré parlant du clip de l'heure sur le net, celui d'une chanteuse amateur nommée Marie-Louise Laplante, qui faisait en ce moment un malheur sur les réseaux sociaux. Incrédule, Jean était allé vérifier par lui-même et était tombé sur une nouvelle vidéo de la jeune fille. Cette fois, elle interprétait du Céline Dion dans une sorte de salle vide. Elle marchait lentement sous un éclairage mal ajusté, suivie par une caméra approximative, puis vers le tiers de la chanson elle s'approchait... d'une gamine en fauteuil roulant ! Elle se penchait vers elle sans cesser de chanter (le texte évoquait l'espoir et l'amour plus forts que tout), tandis que l'enfant la contemplait avec admiration. À la fin, les larmes aux yeux, toutes deux se donnaient l'accolade.

Elle l'avait fait ! Cette idiote n'avait pas compris qu'il se foutait de sa gueule, elle avait suivi ses conseils au pied de la lettre ! Sidéré, il vérifia combien de gens avaient regardé le clip.

Dieu du ciel! Deux cent cinquante mille visionnements en cinq jours! Et des centaines de commentaires, élogieux dans 85 % des cas! Certains internautes avouaient même avoir pleuré, d'autres allaient jusqu'à affirmer que cela leur donnait enfin une raison de croire à un monde meilleur, quelques-uns étaient devenus missionnaires en Afrique... La folie, quoi.

Et c'était lui, Jean Hetier, qui avait coaché ce phénomène d'indigence intellectuelle!

Il en avait été perturbé pendant toute une semaine. Ainsi donc, quand il présentait de vrais artistes, de bonnes chansons, d'intéressants spectacles, on ne l'écoutait pas, mais, quand il proposait des conneries, quand il avançait des idées volontairement ridicules et de mauvais goût, on le prenait au sérieux? C'est comme ça que ça fonctionnait? C'était ça, les règles du jeu? Parfait. Il allait jouer, alors...

Et c'est ainsi que naquit Johnny Net.

Pendant un mois, il avait ratissé des centaines de vidéos sur YouTube, à la recherche de tous ces pauvres gars et ces pauvres filles prêts à n'importe quoi pour être vus, pour être connus, pour avoir l'impression d'être quelqu'un.

Et, sous son pseudonyme, il leur avait suggéré des conseils pour enfoncer ces clips déjà insipides et accablants encore plus profondément dans l'abîme de la médiocrité. Le pire, c'est qu'on l'écoutait. Et, même si la plupart des vidéos ne connaissaient qu'une popularité éphémère, on était satisfait et on revenait le voir, ce qui lui procurait une satisfaction haineuse. Quand il fut certain que son pseudo circulait partout sur la toile, qu'on parlait de lui avec admiration et qu'on cherchait de plus en plus à le joindre, il loua un bureau à l'Orphéon et lança des publicités sur internet, sans aucune photo pour l'identifier. Et les commandes affluèrent. Rapidement. Dans ses annonces, il y a désormais des extraits des vidéos de ceux qu'il a conseillés. Aujourd'hui, même si la plupart des gens ne savent pas à quoi ressemble Johnny Net, presque tous savent qui il est. Que ce soit pour le vénérer ou pour le mépriser.

Sur la scène, Marilou salue la foule qui l'acclame derechef, et annonce une troisième et dernière chanson, un peu plus « swingante ». Johnny, lassé, songe sérieusement à partir lorsqu'il remarque à quelques pas de lui une jolie femme qui doit avoir son âge, vêtue de manière sexy mais sans vulgarité, et qui l'observe d'un

air amusé. Il lui répond d'un rictus incertain.
Elle fait quelques pas et, pour couvrir la musique, lance d'une voix forte :

— On dirait que c'est pas ton genre de
toune...

— Pas tout à fait, non.

— Tu peux être franc avec moi, gêne-toi
pas : moi, je trouve ça nul.

Johnny sourit carrément, rassuré.

— On est au moins deux... Mais qu'est-ce
que tu fais ici, alors ?

— J'ai pris les photos de l'album.

— Photographe ? Intéressant...

— Ouais, mais pas de danger que je tombe
sur des contrats avec de vrais artistes, genre
Karkwa ou Patrick Watson ! Mais, bon, faut bien
payer son loyer !

Johnny s'approche légèrement. Elle le considère avec curiosité :

— Et toi, tu fais quoi, ici ?

— Tu as des photographes chouchous, j'imagine ? demande-t-il en évitant de répondre à la
question.

— Évidemment. J'aime beaucoup Joel-Peter
Witkin...

— Houla ! Tu as des goûts morbides !

— Tu le connais ? s'étonne la fille.

— Un peu. Ses œuvres avec des cadavres sont vraiment dérangeantes. Mais il y a une certaine beauté de l'horreur, chez lui, non ?

— Oui, tout à fait !

Elle tend la main, lumineuse.

— Moi, c'est Vivianne.

— Jean.

Et ils continuent à parler, non seulement durant la chanson de Marilou, mais aussi long-temps après que la chanteuse a terminé sa pres-tation et, tandis qu'ils discutent de Barcelone, ville qu'ils ont tous deux visitée et adorée, Johnny voit bien qu'il se passe quelque chose, il per-çoit l'éclat dans le regard de Vivianne, sa manière de pencher la tête sur le côté, de por-ter son verre à ses lèvres, il devine qu'elle est intellectuellement aussi stimulée que lui et que cette stimulation est en voie de se propager à d'autres régions… Et il oublie toute prudence, il oublie où tout cela va inévitablement mener, à court ou à moyen terme… puis Marilou s'ap-proche, les bras grands ouverts :

— Johnny ! Tu es venu ! C'est génial !

Elle l'enlace, comme si c'était son plus grand ami, alors qu'ils se sont croisés une ou deux fois seulement au cours des deux dernières années.

— Et tu es avec Vivianne !

— Je viens tout juste de la rencontrer.

— Elle a fait des photos géniales pour mon album, non ?

— J'ai pas encore vu ton disque, Marilou...

Marilou rit comme s'il s'agissait de la meilleure blague du siècle. Vivianne la considère avec un sourire un brin moqueur. La chanteuse présente la jeune femme très jolie et très aguichante qui l'accompagne.

— C'est ma *best*, Cynthia ! C'est une comédienne géniale !

Cynthia salue, l'air blasé, pendant que Marilou continue de s'extasier en battant des mains :

— C'est vraiment génial que tu sois là, j'apprécie beaucoup beaucoup !

— Vous vous connaissez bien, finalement, observe Vivianne, toujours amusée.

— Non, très peu, corrige Johnny, tout à coup nerveux.

— Savez-vous, les filles, que c'est un peu grâce à lui que je me suis fait remarquer par une compagnie de disques ? C'est génial, hein ?

Vivianne paraît surprise tandis que Johnny piétine en bredouillant qu'il ne faut pas exagérer. Mais trop tard : Marilou, avec moult détails, raconte tout. Pendant qu'elle narre l'histoire qu'elle ponctue de nombreux « génial »,

Cynthia démontre enfin de l'intérêt, Vivianne fronce les sourcils et Johnny boit plusieurs gorgées de vin. À la fin, la photographe, sur un ton que Johnny n'aime pas, demande en le dévisageant :

— Tu es Johnny Net ?

— Oui ! Il est vraiment génial ! répond Marilou en l'enlaçant à nouveau. Écoute, faut que j'aille saluer mes autres invités ! Viens me voir avant de partir pis je te donnerai mon album, OK ? Bisous, bisous, Johnny ! Bye, Vivianne !

Et elle file, sans réaliser que Cynthia ne la suit pas et demeure près de Johnny, admirative. De son côté, ce dernier termine son verre d'un trait, puis se tourne vers Vivianne. Elle le fixe toujours, mais pas avec le même regard que tout à l'heure. Elle répète :

— Tu es Johnny Net…

Ce n'est plus une question, cette fois. Johnny hoche la tête, l'air de s'excuser.

— Eh oui, c'est… c'est moi.

— La vidéo de la fille qui fait boire de la tequila à son chien jusqu'à ce qu'il soit malade, c'est ton idée…

— Qui t'a dit ça ?

— La fille te remercie à la fin de son clip.

— Ah oui, c'est vrai.

Ils se taisent, laissant le brouhaha de la salle remplir de plus en plus le fossé qui se creuse entre eux. Comment Johnny a-t-il pu croire que cela se passerait autrement ? Il reconnaît très bien cette émotion dans le regard de Vivianne, qu'il finit toujours par voir apparaître dans les prunelles des femmes intéressantes, que ce soit au bout de quelques jours, de quelques semaines ou, comme ce soir, plus rapidement encore ; cette émotion n'est ni du mépris ni de la colère, mais de la déception. Il veut prendre une gorgée de son verre, mais réalise qu'il est vide. Il s'éclaircit la voix, puis :

— Et le musée Picasso, à Barcelone, tu l'as visité aussi ?

— Oui. Mais je dois y aller, désolée. J'ai un *shooting* demain.

— Bien sûr...

Il lui tend une main pitoyable, qu'elle serre avec un peu de tristesse. Et elle s'en va. Johnny la regarde partir, comme un mirage qui retourne dans le désir qui l'a créé un bref moment. Il pivote en soupirant et constate que Cynthia est toujours là. Elle le dévore des yeux avec un sourire coquin et marmonne :

— Et les autres vidéos que tu as faites, c'est lesquelles ?

Se rendant à peine compte de la grimace de dédain qui lui déforme la bouche, il s'éloigne à son tour. Sans prendre la peine de saluer Marilou ni qui que ce soit, il se retrouve dans la rue, où il marche d'un pas rageur vers sa voiture.

Tout à coup, il songe à Intel. Son client androgyne veut un clip intelligent ? Il l'aura !

4

Johnny stationne sa voiture, mais n'éteint pas le moteur tout de suite : il attend que la chanson de La Compagnie Créole qui sort de son lecteur CD se termine. C'est plus fort que lui : à sa grande honte, cette musique ringarde et insipide le met de bonne humeur. Il fredonne donc l'air jusqu'à la fin, souriant, puis coupe le contact. Avant de quitter l'automobile, il examine les alentours, comme s'il craignait qu'on l'ait pris en flagrant délit de mauvais goût, puis sort enfin. C'est vrai qu'il se sent en forme ce matin, et ce n'est pas seulement grâce à La Compagnie Créole.

À l'intérieur de l'Orphéon, à l'une des trois tables du Café Clochette, il aperçoit Élyse qui boit son café en consultant son iPad. Il

allonge le pas, espérant ne pas être vu, mais
trop tard : elle l'interpelle, toute contente :

— Hey, Johnny ! Viens que je te montre ça !

Johnny s'approche en se composant un
sourire forcé. Élyse, une femme en fin de
trentaine à qui on donnerait dix ans de plus,
travaille chez Odosenss, située au troisième, et
chaque fois qu'elle peut accoster Johnny, elle
saute sur l'occasion, à défaut de pouvoir sauter
sur l'homme lui-même. Comme d'habitude,
son corps bien en chair paraît comprimé dans
des vêtements trop petits pour elle.

— Regarde sur quoi je suis tombée sur You-
Tube ! dit-elle en tournant son iPad vers
Johnny. Vraiment trop drôle !

Johnny reconnaît aussitôt le gars dans la
vidéo : c'est Guillaume Gagnon. De toute évi-
dence, il a très bien intégré le concept que lui
a vendu Johnny. Dans le clip, Gagnon conduit
une voiture, dans une rue manifestement tranquille, et, filmé par un complice assis à ses
côtés, marmonne d'un air gamin :

— OK… Qui c'est qui va connaître le Cri
de la Mort aujourd'hui ?…

— Y en a un, là-bas, Guillaume ! fait la voix
du caméraman.

Guillaume réduit sa vitesse, s'approche du
bord de la rue et baisse la fenêtre de sa por-

tière. La caméra, qui a une lentille très large, permet de voir un piéton qui marche paisiblement sur le trottoir. Quand le véhicule, roulant au ralenti, arrive à la hauteur du promeneur, Gagnon sort la tête par la fenêtre et pousse un véritable hurlement de dingue. L'homme sursaute avec une telle violence qu'il en trébuche presque et fait volte-face avec la plus grande des terreurs peinte sur le visage. Aussitôt, la voiture accélère, tandis que Gagnon et son caméraman éclatent de rire.

— Une autre victime du Cri de la Mort! rigole le conducteur.

Johnny regarde la vidéo avec indifférence. Élyse se marre entre deux gorgées de café.

— Trop drôle, hein? Je suis sûre que ce gars-là, c'est un de tes clients! C'est ton genre de concept, ça!

Johnny se contente d'un haussement d'épaules énigmatique. Élyse affecte un sourire complice, ce qui la rend encore plus ridicule:

— Alors, c'est ton concept ou non?

— Peut-être.

— Ah, *come on*, Johnny, tu dis toujours ça! Réponds-moi donc, pour une fois!

Il indique du menton l'employé du Café Clochette.

—Je te répondrai sérieusement le jour où Straz servira du café buvable.

Élyse a une petite moue de dépit en observant sa tasse :

— C'est pas demain la veille… (Elle revient à son iPad.) Oh ! Regarde celle-là !

Sur l'écran, Gagnon ralentit à nouveau, mais cette fois il s'approche d'une fille en vélo. Lorsqu'il pousse son aboiement monstrueux, la malheureuse dérape sur le bas-côté de la rue. Aux rires des deux passagers du véhicule se mêle celui d'Élyse :

— Maudit qu'il est con, hein ?

— Qui ça ? Le participant, le spectateur ou le concepteur ?

Élyse se tait, démontée. Pendant qu'elle réfléchit à la question, Johnny s'éloigne en fronçant les sourcils. Qu'est-ce qui lui a pris de répondre ça ?

Derrière son comptoir, le vieux gardien moustachu lui demande :

— Ça va, monsieur Net ?

— Absolument, Rolland ! J'ai un nouveau client difficile à satisfaire et je crois avoir trouvé LA bonne idée ! J'ai mis le clip en ligne hier !

— Une autre vidéo imbécile, je suppose ?

Johnny, qui vient d'appuyer sur le bouton de l'ascenseur, se tourne vers son interlocuteur, dérouté. Si le gardien est bête, alors ce n'est pas Rolland, mais son frère.

— Heu… Non, Réjean. Cette fois, il s'agit d'un clip brillant. Vraiment.

Réjean pousse un grognement dubitatif en retournant à ses écrans de surveillance et Johnny disparaît dans l'ascenseur.

Sonia est déjà au travail et lève la tête à l'entrée de son patron :

— Bonjour, Johnny…

Elle désigne du regard les fauteuils. Dans l'un d'eux est installé Intel, une jupe dévoilant ses jambes poilues et croisées. Le client aux deux sexes sourit à Johnny.

— Comment allez-vous, mon cher ?

— Je lui ai pourtant dit que tu voyais quelqu'un dans quinze minutes, mais ce… heu… cette personne a insisté pour t'attendre ! précise la secrétaire.

— Pas de problème, Sonia. Notre ami Intel peut toujours venir sans rendez-vous… Vous êtes ici depuis longtemps ?

— Mais non, répond Intel en se levant, repoussant ses longs cheveux vers l'arrière. Sonia me parlait d'un DVD qu'elle a loué, hier, *Continental, un film sans fusil*. Elle m'expliquait à quel point elle avait aimé.

— Ah, oui ? s'étonne Johnny en se tournant vers son employée. J'ai adoré ça, moi aussi.

— Un des bons films québécois des dernières années, commente Sonia en hochant la tête.

Johnny la considère avec surprise, sous l'œil amusé d'Intel. Enfin, il propose à son client de le suivre.

Une fois la porte refermée, Johnny se dirige vers son bureau en affirmant sur le ton de la confidence :

— Cette fille a vraiment des goûts intéressants. Je ne sais pas ce que j'attends pour l'inviter à sortir... Surtout que, contrairement aux autres femmes, elle ne jugerait pas mon boulot puisqu'elle travaille pour moi !

— Peut-être que vous hésitez à cause du piège que vous avez rencontré il y a une semaine...

— Le piège ? Vous voulez dire le Mépris ? Quel rapport ?

— À vos yeux, une simple secrétaire n'est sans doute pas à votre hauteur...

Johnny, calé dans son fauteuil, paraît ébranlé un moment, puis se frappe la cuisse :

— Vous avez raison, je suis idiot ! Allez, je l'invite aujourd'hui même !

— D'ici la fin de la journée, vous avez le temps de changer d'idée.

Johnny soutient le regard de son client, puis attrape son téléphone :

— Sonia ? Qu'est-ce que tu dirais qu'on aille prendre un verre après le travail ?... Oui, oui, tout à l'heure... Mais oui... Parfait...

Il raccroche et écarte les bras.

— Et voilà !

— C'est très bien.

— Vous ne vous asseyez pas ?

— Pas tout de suite.

Le visage de Johnny devient triomphant :

— Si vous êtes ici, j'imagine que c'est parce que vous avez vu la vidéo que j'ai mise en ligne hier.

— En effet. Impressionnant.

— N'est-ce pas ? D'ailleurs, voici les factures pour les frais de production. Vous remarquerez qu'ils sont beaucoup moins élevés que ceux de ma réalisation précédente.

Il dépose les papiers sur le bureau et les pousse vers son client. Puis il croise les mains derrière la nuque, sûr de lui :

— Aucun mépris dans ce clip, on est d'accord ?

— Pas la moindre trace.

— C'est une vidéo intelligente de bout en bout, non ?

— Prétendre le contraire serait de la mauvaise foi.

— Donc, j'ai réussi ?

— Ce n'est pas ce que j'ai dit.

— Mais… comment ça ?

— Visionnons-la ensemble, voulez-vous ?

Le visage de Johnny s'assombrit d'un seul coup et ses mains retournent se poser sur ses cuisses.

— La dernière fois que vous m'avez dit ça, ce n'était pas bon signe. (Il penche la tête sur le côté.) Vous avez encore maigri, vous, non ?

— Un peu.

Johnny paraît déconfit. Intel s'approche de l'ordinateur.

— Allez, regardons cette vidéo.

— Mais ça dure vingt minutes !

— Uniquement le début.

Johnny, en soupirant, se connecte à YouTube et tape un titre. Le clip qui apparaît met en scène deux individus dans la cinquantaine avancée assis autour d'une table, qui discutent du livre *L'être et le néant* de Sartre. La femme, coiffée d'un chignon, verres au bout du nez, les doigts joints à la hauteur du menton, explique d'une voix lente et blasée :

— Ce qui est fascinant, c'est cette différence que souligne Sartre entre l'« être pour soi », l'« être en soi » et l'« être pour autrui ».

— Peut-être, peut-être, réplique d'une voix saccadée l'homme, qui a des cheveux gras peignés sur le côté, des lunettes énormes et qui bouge sans cesse les mains comme si quelque chose lui échappait. Mais je ne suis pas sûr de partager la vision ontologique du monde qu'il développe, surtout en ce qui a trait à sa conception de la phénoménologie de l'être…

L'échange se poursuit sur le même ton, puis Intel décrète que c'est assez. Johnny appuie sur *Pause* et se tourne vers son client :

— Alors, où est le problème ?

— Combien d'internautes ont regardé cette discussion ?

— Jusqu'à maintenant, trois.

— Remarquable succès.

— Il est en ligne depuis hier seulement !

— Vous ne vous attendez tout de même pas à ce qu'il y ait foule ? À qui s'adresse cette vidéo, au juste ?

— Mais… à du monde brillant, instruit… Ce n'est pas ce que vous vouliez ?

— Vous-même, qui possédez ces qualificatifs, l'avez-vous comprise ?

— Heu... plusieurs aspects m'ont échappé, mais...

— Alors, je répète ma question : à qui s'adresse-t-on ?

— Mais vous m'avez dit l'autre jour que vous vous foutiez que le clip soit vu par des milliers de personnes !

— La question n'est pas là. Je veux seulement vous faire réaliser que vous êtes tombé dans le second piège.

— Quoi ? Mais... lequel ?

Intel, du menton, pointe la porte. Intrigué, Johnny va l'ouvrir. Dans la petite salle d'attente est assis un visiteur. Merde ! Encore un androgyne ! Avec une robe ! Et une casquette sur son crâne chauve ! Maquillé comme une femme, mais avec de gros favoris... Il lit un magazine d'un air ennuyé, puis s'enquiert auprès de Sonia :

— Vous n'avez pas d'autres revues ? Du genre *Propos sémantiques* ou *Fenêtres sur l'art néobasque* ?

— Ben non, désolée.

Johnny jette un regard interrogatif vers sa secrétaire, qui paraît dépassée :

— Ce... cette personne n'a pas voulu me dire son nom, mais m'a assuré qu'elle pouvait attendre.

Le visiteur, en voyant Johnny, dépose son magazine sur la table et se lève en souriant, tendant la main :

— Bonjour, Johnny. Je venais vous féliciter pour votre dernière production.

— Merci... Et vous êtes ?

— Tisme. Ellie Tisme.

Johnny lui serre la main, soudain découragé.

— Ah, oui... Bien sûr...

— Votre vidéo est une perle ! Enfin, une vraie discussion de fond sur Sartre, un débat qui n'a pas peur de creuser le sujet ! C'est rare, Johnny, rarissime ! Et c'est justement pour cette raison que c'est si bon. Mais je ne vous apprends rien, j'en suis sûr !

Ellie Tisme regarde vers le bureau de Johnny : Intel est là, appuyé contre le cadre de porte, les bras croisés. Ellie Tisme est ravi :

— Tiens, tiens, Intelligence ! Comment vas-tu ?

— Ça peut aller, Ellie. Et toi ?

— Très bien, merci ! Tu aurais dû venir l'autre soir à cette petite causerie sur l'importance du symbolisme kantien dans le cinéma polonais, c'était délectable !

— J'y étais, mon cher. Mais je me suis fait très discret.

— Vraiment ? C'est surprenant que je ne t'aie pas vu, il n'y avait que six auditeurs… (Il revient à Johnny.) Je voulais vous glisser aussi, mon ami, que si vous cherchez d'autres débats à filmer, je connais trois intellectuels très compétents qui rêvent depuis longtemps d'animer une discussion sur les correspondances qu'a entretenues pendant quelques mois André Malraux avec le vétérinaire de son chien. Sous des allures d'ennuyeux conseils de santé et de considérations banalement canines, ces textes renfermeraient, selon ces spécialistes, tous les thèmes et la structure même de *La condition humaine*, vous imaginez ?

— C'est… fascinant.

— À qui le dites-vous ! Alors, vous êtes preneur ?

— Heu… Laissez-moi y penser… C'est un peu pointu, quand même.

— Évidemment ! D'où l'intérêt ! *Odi profanum vulgus et arceo*, et c'est aussi votre cas, j'en suis convaincu !

— Je l'ignore, je ne connais pas le latin.

— Ah, bon ? Ça m'étonne, tiens… Allez, je dois filer ! Et encore bravo, mon cher, il devrait y avoir plus d'hommes de votre qualité !… Mais pas trop, tout de même, sinon où serait le mérite, n'est-ce pas ? Ha, ha ! À bientôt, j'espère !

Il salue ensuite Intel, a un discret hochement de tête pour Sonia, puis sort. La secrétaire observe son patron d'un air vaguement inquiet. Sans un mot, Johnny regagne son bureau, passant devant Intel qui le suit en refermant la porte derrière lui. Johnny parcourt la pièce de long en large, mécontent :

— Faudrait savoir ce que vous voulez ! Je tourne une vidéo manipulatrice pour joindre le maximum de gens et vous dites que c'est méprisant. Puis je fais un clip très pointu et intellectuel en me foutant du nombre d'auditeurs et vous affirmez que je tombe dans l'élitisme !

— C'est que vous avez une conception de l'intelligence qui vous rassure, qui vous conforte. C'est comme ce test que vous infligez à vos clients potentiels.

— Quel test ?

— Vous montrez vos laminages, là, sur le mur, en vous convainquant que ceux qui sont incapables de les identifier sont assez idiots pour acheter vos salades. Comme si c'était si simple. Comme si ceux à qui ni la chanson française, ni la grande littérature, ni le cinéma international ou la géopolitique ne sont familiers étaient des imbéciles. Alors qu'évidemment ceux qui connaissent tout ça sont automatiquement brillants.

Johnny cligne des yeux, pris au dépourvu. Intel continue en avançant de quelques pas, les mains dans le dos, la voix douce, sans hargne, mais le regard pénétrant :

— C'est pour ça que vous avez décidé de considérer la plupart des individus comme des incultes crétins : pour vous déresponsabiliser du peu d'intérêt suscité par les artistes que vous produisiez.

Johnny en demeure bouche bée, puis, rageur, il réplique :

— Ma mère est l'une des meilleures écrivaines du Québec et on ne la lit pas !

— On la lit peu, c'est vrai, nuance Intel. Et alors ?

— Comment, et alors ? Si le nombre n'est pas important, vous devriez vous foutre que presque personne ne s'intéresse à ma vidéo sur Sartre !

— Pensez-vous réellement que l'art de votre mère est hermétique ? Pensez-vous qu'on publierait sa nouvelle dans le programme des bibliothèques publiques si sa prose était inaccessible ? La plupart des gens ne lisent pas par paresse, par absence d'intérêt, parce qu'ils ont des préjugés, ou que sais-je encore ? Mais le commun des mortels n'écoutera pas votre vidéo sur Sartre pour une seule raison : parce que c'est incompréhensible. Les spécialistes de votre clip eux-mêmes ne souhaitent pas être vus, sauf par d'autres masturbateurs comme eux. Même moi je trouve ça chiant, c'est vous dire !

Johnny va s'affaler dans son fauteuil en maugréant. Intel gratte sa barbe naissante :

— Il n'y a pas de limites d'essais, vous savez. Vous pouvez produire une nouvelle vidéo.

— Mais vous voulez quoi, à la fin ? Manifestement, le but n'est pas que je me contente de tourner quelque chose d'intelligent !

— C'est, en effet, plus compliqué que ça.

— Alors, quoi ? Vous voulez « un coup de pouce », « retrouver vos lettres de noblesse »… Merde ! Soyez concret !

— Concret ? Eh bien…

Intel tire un peu sur sa chemise trop grande pour lui, avec un clin d'œil :

— Faites-moi prendre du poids.

Johnny le dévisage comme si son client se moquait de lui. Intel, en levant un doigt sentencieux, ajoute :

— Et méfiez-vous du troisième et dernier piège !

— Je n'ai pas besoin de votre contrat, vous savez ! Je gagne parfaitement ma vie sans vous ! Je m'en sors très bien !

— Parce que vous aimez votre travail ? Vous en êtes fier ? Mais oui, bien sûr. C'est pour ça, j'imagine, que vous avez changé de nom, que vous ne mettez aucune photo de Johnny Net dans vos pubs, que vous payez une prostituée pour avoir un peu d'affection et que vous mentez à votre mère depuis deux ans.

Johnny blêmit d'un seul coup. Intel, juste avant de partir, souffle sur le ton de la confidence :

— J'ai hâte que vous me parliez de votre rendez-vous avec Sonia. Je suis certain que ce sera très instructif.

Et, devant l'air dérouté de Johnny, il sort et referme la porte.

Johnny jure en se frottant furieusement le visage. Un faible signal sonore lui indique qu'un nouveau courriel vient d'entrer dans sa boîte de réception. Il l'ouvre, agacé :

J'ai tourné ma première scène en suivant le concept que vous m'avez vendu et je l'ai mise en ligne hier. Le succès est phénoménal ! Merci à vous ! J'ai plein d'autres idées !

Charles Desmarais

Il se rappelle très bien l'idée qu'il a vendue au nain. En fait, il se souvient même des paroles

qu'il lui a dites : « En ce moment, vous repro-
duisez des scènes de films en reprenant des
interprétations importantes, mais qui n'at-
tirent pas vraiment l'attention. Il faudrait que
vous incarniez des personnages qu'un nain
n'aurait normalement jamais pu tenir. Par
exemple, des héros à la Bruce Willis, à la Jet Li,
à la Jason Statham... Ce ne sont pas des grands
rôles, c'est vrai, mais ça surprendra tellement
les gens que là, vous serez remarqué... et, peu à
peu, des producteurs s'intéresseront à vous. »

Desmarais a accepté presque à contrecœur.
Et, maintenant, il lui envoie le lien pour vi-
sionner son premier essai. Johnny hésite un
long moment, puis finalement clique sur le
lien.

Sur YouTube, une vidéo apparaît : on y reconnaît Desmarais en train de secouer un
homme accoté contre une voiture dans l'intention de le faire parler. Johnny finit par
comprendre qu'il s'agit d'un pastiche d'une
scène d'un vieux film nul, *Commando*. Manifestement, Desmarais y tient le rôle de Schwarzen-
egger. Mais voir ce gnome jouer les durs avec
un type deux fois plus grand que lui qui,
normalement, devrait le propulser en l'air d'une
simple chiquenaude, c'est vraiment le comble
du grotesque. Desmarais tente d'agripper le

gars par le collet et, pour y arriver, il doit se hisser sur le bout des pieds.

— Alors, tu vas vider ton sac ? crie le « héros » de sa voix fluette et nasillarde.

— Je... je ne sais rien ! gémit l'homme, qui mime la terreur alors qu'il dépasse son bourreau de soixante-dix centimètres.

Johnny se frotte les lèvres lentement, les yeux rivés à l'écran. Il s'attendait à ce que le nain suive son concept, mais jamais à ce point. Desmarais traîne alors le vilain vers le bord d'une falaise. L'image coupe et, au plan suivant, Desmarais le tient par une jambe au-dessus de l'abîme. Le trucage est plutôt maladroit : on devine que le méchant est attaché par un filin plus ou moins invisible. Johnny se gratte maintenant la joue. Normalement, lorsqu'il visionne les clips de ses clients, il se contente de les trouver accablants. Mais, cette fois, il ressent un malaise grandissant. Desmarais, qui grimace pour avoir l'air d'un dur et qui gonfle ses muscles inexistants, grogne vers sa victime :

— Tu te souviens, je t'avais dit que je te tuerais le dernier !

— Oui, oui, je m'en souviens ! Tu peux pas me tuer, alors !

— J'ai menti !

Gros plan de la main qui lâche la jambe, puis hurlement hors champ qui fait comprendre au spectateur que l'homme tombe. Fin de la scène.

Johnny sent quelque chose monter en lui, comme une vague nausée. Il consulte le chiffre sous la vidéo indiquant le nombre de visionnements : 134 762 en moins de vingt-quatre heures ! Il lit ensuite quelques commentaires :

« Wow ! *Fucking* trop drôle ! »

« Encore plus hilarant que l'original ! »

« lol ! À pissé de rire ! Jen veut encorre ! »

C'est maintenant son front que Johnny triture, sentant la nausée monter de plus en plus en lui. Il se rappelle qu'il avait prévenu Desmarais :

— Vous aurez beaucoup de commentaires qui diront que vos vidéos sont drôles. Ne vous inquiétez pas, c'est une réaction normale. Devant l'inattendu et la nouveauté, les gens se marrent. Mais, s'ils rient, ils se souviendront de vous, parleront de vous, et tous voudront vous voir. Et ils finiront par découvrir votre vrai talent.

Et Desmarais, obsédé par son rêve, l'avait cru. Comme on le croyait toujours. Parce que le désespoir et la solitude rendent tellement naïf...

Tout à coup, Johnny se lève, sort de son bureau à toute vitesse, ignore une Sonia stupéfaite, puis court vers l'ascenseur. Il a un sérieux besoin de prendre l'air. Mais, une fois au rez-de-chaussée, sa nausée prend des proportions inquiétantes et il se précipite vers les toilettes. Il veut ouvrir la porte mais, au même moment, quelqu'un la pousse de l'autre côté : c'est DJ Lampion, qui travaille au Phénix, le complexe funéraire du quatrième. Johnny fait mine de passer, mais le jeune DJ le retient par l'épaule.

— Pis quoi, monsieur l'exploiteur du premier, trop *cheap* pour te payer une toilette dans ton bureau ?

Merde, il ne pouvait pas plus mal tomber, celui-là ! Lampion a consulté professionnellement Johnny il y a dix-huit mois, ce qui lui a permis de connaître une brève gloire sur YouTube. Depuis, il tente de soutirer gratuitement d'autres trucs à Johnny. Ce qui est hors de question, évidemment. Et, devant le refus de Johnny, Lampion le boude.

— DJ, laisse-moi passer, je suis vraiment pressé !

— Pis je le sais, oké ? Tellement pressé que, quand tes amis sont dans 'a marde, tu veux pu les aider !

— Crisse, t'es pas mon ami, t'as été mon client ! Lâche-moi pis...

— C'est vrai, tu dois pas avoir d'amis, toi : ça rapporte pas assez !

— Laisse-moi passer sinon je te vomis dessus !

DJ Lampion cligne des yeux puis fait un pas en arrière, grimaçant de dépit.

— Tu me pousses ! T'es encore plus méprisable que je pensais, oké ?

Mais Johnny est déjà dans la cabine des toilettes et referme la porte. Il a tout juste le temps de s'agenouiller devant la cuvette qu'il se met à dégueuler douloureusement pendant trente secondes. Enfin, toujours penché, il retrouve une respiration normale. Mais qu'est-ce qui lui prend ?

Il se relève, sort de la cabine et s'examine dans le miroir. Seigneur ! Il fait vraiment peur ! Il se passe de l'eau sur le visage et garde les yeux fermés un moment en sentant les gouttes dégouliner sur ses joues.

— Bien joué, Johnny. Les gens adorent les *freak shows* !

En entendant cette voix, il ouvre les yeux. Dans le miroir, il voit un individu qui se tient derrière lui, être androgyne au regard moqueur et au sourire baveux. Il reconnaît le Mépris. Ce dernier lève un pouce :

— C'est un de tes meilleurs concepts, chapeau !

Johnny se retourne brusquement. Mais il n'y a personne derrière lui.

* * *

— On a de drôles de clients qui défilent au bureau, ces temps-ci, tu trouves pas ?

Sonia lui pose la question alors qu'ils sont dans l'ascenseur, en route vers le rez-de-chaussée. Johnny hausse les épaules.

— Un peu, oui, mais bon…

— T'avais pas l'air en forme, tout à l'heure.

— J'ai eu comme une indigestion passagère, ce matin, mais là, tout va bien, merci.

— Tant mieux. Dans le roman que je suis en train de lire, il y a un chapitre où le narrateur est très malade, et tu me faisais penser à lui.

— C'est quoi, le bouquin ?

— *Les Bienveillantes*, de Jonathan Littell.

— Tu lis ça ? Pas facile, comme lecture !

— Ouais, c'est dur, mais tellement bon. Et bouleversant. Tu l'as lu ?

— Non, mais il est dans ma pile.

— Ah, les piles de livres ! On en viendra jamais à bout, hein ? Il faudrait qu'on s'échange des titres, j'ai l'impression qu'on a les mêmes goûts.

— Très bonne idée, acquiesce-t-il, ravi.

À nouveau, il se dit qu'il aurait dû inviter sa secrétaire à prendre un verre plus tôt. Tandis qu'ils traversent le hall, Johnny aperçoit Ève, au comptoir du Café Clochette. Tous deux se saluent très discrètement. Sonia, qui a remarqué l'étudiante, marmonne à son patron :

— Tu as vu cette jolie fille, au café ?

— Oui...

— Je crois qu'elle travaille chez Bleu Communication, au deuxième...

— Heu... Ça se peut, et alors ?

— Je suis pas mal sûre que c'est une pute.

— Quoi ?

— Je t'en reparle dehors.

Ils passent devant Réjean ou Rolland, qui les dévisage comme s'il s'agissait de deux insectes particulièrement repoussants (donc, c'est Réjean), puis se retrouvent sur le trottoir. Sonia, enthousiaste, propose d'aller au Inow. Comme Johnny ne connaît pas, Sonia s'en étonne.

— Tu vas voir, c'est un bar génial.

Johnny accepte et lui emboîte le pas. La voix plus basse, Sonia reprend son sujet précédent :

— Je pense que Bleu Communication est en fait un *front* pour un bordel…

— Voyons, ça se peut pas ! affirme Johnny sur un ton qu'il souhaite convaincant. T'es sûre de ce que tu dis ?

— Non, parce que, si j'étais vraiment sûre, j'appellerais la police !

— Tu ferais ça pour de vrai ?

— Tiens, c'est ma voiture. Monte avec moi, je viendrai te reconduire après.

Elle déverrouille sa portière et ils montent. Une fois à l'intérieur, Sonia sort son iPhone et y écrit quelque chose.

— Qu'est-ce que tu fais ? demande Johnny.

— J'écris sur Facebook que je m'en vais prendre un verre au Inow.

— Tu souhaites inviter d'autres gens ?

— Non, non, je veux juste l'annoncer à mes 2463 amis.

— Pourquoi ?

Elle hausse les épaules :

— Pour le fun.

Elle sourit, puis ricane, les yeux sur son portable :

— Cool. Cent soixante-quinze personnes ont « liké » mon message précédent.

— C'était quoi ?

Elle le montre à Johnny, qui lit : « Ce matin, je me lève de bonne humeur. Pour fêter ça, je me fais des œufs et du bacon. »

Johnny hoche la tête, quelque peu perplexe. Puis, Sonia met le contact. Tandis qu'ils roulent vers l'est de la ville, Johnny change de sujet :

— Tu m'as dit, l'autre jour, que tu avais vu *Continental, un film sans fusil* et que tu avais beaucoup aimé ?

— Énormément. Le mélange de drame et d'humour est vraiment parfait. C'est pas facile de jouer avec les décalages, au cinéma. Les frères Coen sont sûrement ceux qui réussissent le mieux là-d'dans.

— Ah, les frères Coen ! Ils font partie de mes cinéastes préférés ! J'ai adoré *The Man Who Wasn't There*, je sais pas si tu connais…

— Sûr ! Un de leurs meilleurs ! On dirait une sorte d'adaptation libre de *L'étranger*, de Camus.

— C'est drôle, je pense la même chose ! approuve Johnny, tout à fait enchanté.

— Il y a aussi *Barton Fink*, qui est plus obscur, mais qui… Bon, qu'est-ce qui se passe ?

Elle s'arrête derrière une file de voitures immobilisées. Au loin, à une cinquantaine de mètres, on voit une foule qui défile avec des pancartes. Sonia abaisse sa vitre et interpelle un policier qui surveille.

— C'est quoi, là-bas ?

— C'est une manifestation écolo. Dans une dizaine de minutes, ça devrait être terminé.

— Dix minutes !

Tandis que le flic s'éloigne, Sonia soupire en appuyant sa joue dans le creux de sa main :

— Bande de fatigants !

Elle remarque l'air surpris de Johnny et s'empresse de préciser :

— Je suis pour l'environnement, là, inquiète-toi pas ! Mais ils auraient pas pu choisir un autre endroit et un autre moment que l'heure de pointe pour faire leur show ?

— L'idée d'une manif, c'est qu'elle soit vue par le maximum de gens. C'est le but : attirer l'attention.

— Ouais, ben là, ils font chier !

Johnny ne réplique rien, dérouté. Sonia, excédée, lève les bras en l'air :

— Crime, j'ai travaillé toute la journée, puis-je aller prendre un verre tranquille ? (Elle reluque Johnny.) Je te le répète, je suis écolo, c'est pas ça la question ! J'utilise des sacs biodégradables, je recycle presque tous mes déchets... C'est juste que...

Elle attrape son iPhone et inscrit un nouveau statut sur Facebook. Johnny étire le cou et lit : « Suis prise dans une manif écolo ! Faut que ça tombe sur moi ! »

— Excusez-moi...

C'est une manifestante qui, souriante, s'est penchée vers la vitre ouverte de Sonia. La femme, dans la cinquantaine, les cheveux teints en roux, fait poliment remarquer :

— Ce serait bien que vous éteigniez votre moteur, non ? Surtout que c'est une manif écolo. Profitez de l'air pur, du ciel bleu, des oiseaux...

— De quoi vous vous mêlez, vous ? rétorque froidement Sonia. Vous pensez vraiment qu'un moteur de plus ou de moins va changer quelque chose ? Franchement ! Est-ce que je vous dis, moi, que votre teinture de cheveux, c'est pas écolo ?

Johnny, gêné, s'enfonce dans sa banquette. La femme est outrée.

— Si je me retenais pas, je vous frapperais avec ma pancarte biodégradable !

Elle s'éloigne rapidement, tandis que Sonia pianote sur son volant avec impatience.

— Heu... Tu parlais de *Barton Fink* ? lui rappelle Johnny.

— Hein ? Ah, oui. Un bon film sur la création artistique.

— C'est vrai. Et une vision très caustique de Hollywood, aussi. C'est…

— Écoute, on stationne ici et on continue à pied, OK ? De toute façon, le bar est pas loin !

Elle trouve donc une place et tous deux se mettent en marche. Ils tournent à un coin de rue et croisent un musée qui annonce : « Exposition Klimt ».

— Tu as vu ? s'enquiert-elle en pointant le musée, sans ralentir le pas. Je vais venir voir ça.

— Moi aussi ! Tu connais le travail de Klimt ?

— Un peu. J'ai lu quelque chose sur lui il y a quelques jours, à propos de cette expo, et j'ai appris des choses étonnantes.

— Comme quoi ?

Mais il réalise que Sonia s'est arrêtée devant la vitrine d'une boutique de chaussures. Elle fixe avec stupeur des sandales en solde.

— Qu'est-ce qu'il y a ? demande Johnny qui la rejoint.

— Regarde ! Des sandales Di Lovly à 50 % de rabais !

— Et alors ?

Elle recommence à avancer, préoccupée. Johnny la suit, perplexe, puis il l'entend marmonner :

— C'est pas normal... Il faut que je vérifie quelque chose...

Elle pianote sur son téléphone, puis claque la langue avec agacement.

— C'est ce que je pensais ! Di Lovly est maintenant *out* !

— Et alors ? répète Johnny.

— T'as pas vu ce que j'ai dans les pieds ?

Elle pointe du menton ses sandales. Johnny ne comprend pas.

— Je porte des Di Lovly ! Merde, va falloir que je m'achète de nouvelles chaussures ! Quand je pense que je les ai depuis deux semaines à peine !

Johnny se frotte le nez, le visage de plus en plus sombre. Ils croisent la même manif que tout à l'heure et Sonia soupire.

— Encore eux ! Ça me rappelle la grève étudiante d'il y a trois mois, tu te souviens ?

— Évidemment. Ils ont été courageux. Et le gouvernement, tellement dégueulasse.

— Heu... Tu es un des seuls qui pense comme ça...

— Un des seuls ?

— Dans les journaux, les chroniqueurs étaient unanimes : les étudiants avaient tort.

— Voyons, Sonia, tu peux pas dire ça ! À moins que tu lises juste un chroniqueur.

— Ben non ! Franchement !

Parmi les manifestants qui passent se trouve la femme rousse. Elle reconnaît Sonia et, sans cesser de marcher, lui envoie un doigt d'honneur accompagné d'une hideuse grimace. Sonia, qui ne la remarque même pas, poursuit :

— Je suis une fille qui analyse tous les aspects d'une situation, les deux côtés de la médaille. Je veux diversifier mes sources !

— Ça me rassure.

— Tous les jours, je lis *Le Journal de Montréal* et *La Presse*. Comme ça, je sais tout et je connais tous les points de vue.

— C'est bien, mais c'est parfois éclairant de consulter des médias plus indépendants qui...

— Ah, non ! Tu vas pas me parler, toi aussi, des conglomérats qui contrôlent l'information ! Eh qu'il y a du monde parano !

— Eh bien...

— Mais c'est vrai que des fois je m'intéresse aux médias électroniques.

— Excellente idée !

— Comme la page Facebook de Stéphane Gendron et son blog.

Johnny en trébuche presque. Sonia poursuit :

— Après avoir lu Martineau et Gendron, j'ai vraiment l'impression d'avoir un portrait complet de ce qui se passe.

Johnny est si dérouté qu'il ne trouve rien à répliquer. Il sent que la tête lui tourne, il a un début de mal de ventre.

— Écoute, Sonia, je ne sais pas si…

— Tiens, on arrive !

Et elle pointe un bar, de l'autre côté de la rue, devant lequel une quinzaine de personnes font le pied de grue. Elles sont toutes bien habillées, portent toutes des lunettes de soleil et sont toutes en train de pianoter sur leur téléphone intelligent. Johnny s'arrête :

— Mais il y a une file !

— C'est normal, c'est le pub le plus *in* en ville !

— Sonia, ça a pas de sens, ça va nous prendre plus de temps d'attendre dehors que de boire notre verre à l'intérieur !

— Je le sais, mais on a pas le choix !

Il désigne un autre bar, vers la gauche, discret et tranquille.

— On peut aller là.

— T'es pas sérieux ?

— Pourquoi pas ?

— Tu as vu le monde à la terrasse ? Certains clients ont au moins cinquante ans !

— Et alors ?

Sonia étudie le pub d'un air suspicieux, puis attrape son cellulaire sur lequel elle pianote. Johnny soupire :

— Qu'est-ce que tu fais, encore ?

— Je lance un appel sur Facebook pour savoir si c'est un endroit intéressant.

Johnny se lisse lentement les cheveux des deux mains, prend une grande inspiration puis annonce d'une voix faussement désinvolte :

— Écoute, je suis désolé, mais j'ai mal au ventre tout à coup, c'est sûrement mon indigestion de ce matin…

— Ah, oui ? s'étonne la secrétaire.

— Oui, je vais y aller, je pense. Marcher, ça va me faire du bien…

— Mais je voulais te parler de Klimt…

— Je sais, on se reprendra. Allez, bye !

Et il s'empresse de s'éloigner, le pas raide, les dents serrées, comme s'il fuyait une pestiférée. Au bout d'une trentaine de mètres, il se retourne : Sonia a rejoint la file devant le Inow et consulte son cellulaire.

Johnny poursuit son chemin, les mains dans les poches. Il a l'impression de voir le sourire moqueur d'Intel flotter devant lui.

5

Maxime Boileau laisse dépasser sa langue entre ses lèvres, gonfle les joues, puis émet un son qui ressemble à s'y méprendre à une longue flatulence. Derrière son bureau, Johnny, les mains jointes devant lui, le regarde en silence, conservant un visage parfaitement impassible.

— Pas mal, hein ? dit Boileau. Ça, c'était un pet sec. Mais je peux en faire un plus gras.

Il s'humecte les lèvres, enfle à nouveau les joues et, postillonnant sur les papiers de Johnny, produit cette fois un bruit plus humide. Son interlocureur ne réagit toujours pas, si ce n'est par un très léger plissement de l'œil gauche. Boileau s'essuie la bouche.

— Bon, fini pour les pets. Y a aussi le gars qui dégueule, écoutez ben ça.

Boileau se lève, se concentre un moment, puis, s'abaissant comme s'il cueillait une fleur, crachote une série de sons qui évoquent réellement ceux d'un homme en train de se vider les tripes. Johnny se caresse lentement le front, l'air soudain las, puis demande :

— Vous avez quel âge, monsieur Boileau ?

— Quarante-trois ans, pourquoi ?

— Non, pour rien.

— OK. Maintenant, je vais vous faire une diarrhée très…

— Je crois que la démonstration a été suffisamment éloquente comme ça, je vous remercie.

Boileau réintègre son fauteuil. Il attend, comme un enfant qui espère avoir une bonne note à un examen. Johnny joint les doigts sous le menton.

— En résumé, vous êtes un imitateur qui se spécialise dans les manifestations sonores dégoûtantes.

— C'est ça.

— Et vous souhaiteriez faire une vidéo sur YouTube…

— Oui, mais je veux pas juste reproduire des bruits dégueulasses pendant cinq minutes, debout devant une caméra. Ça prendrait un concept intéressant pis original dans lequel

je pourrais inclure mes imitations, vous comprenez ? C'est là que vous intervenez.

— Vous voulez que je vous trouve ce concept,
c'est ça ?

— Ben, c'est votre travail, non ?

— Oui, c'est mon... travail, oui.

Il soupire, regarde ses mains comme s'il les
apercevait pour la première fois, puis se renverse dans son fauteuil.

— Alors, voyons voir... On pourrait peut-
être vous filmer dans une tranche de vie... On
vous voit vous lever le matin et, au saut du lit,
vous imitez deux ou trois pets bien enthou-
siastes. Ensuite, vous allez aux toilettes, imitez
un gars qui crache dans le lavabo, puis vous
vous assoyez sur la cuvette et imitez un mec qui
chie un bon coup. Après quoi, vous sortez
pour vous rendre au bureau, mais, au bout de
quelques pas, vous ne vous sentez pas bien et
imitez un type qui vomit sur le trottoir.

Boileau affiche une moue dubitative.

— Je suis pas sûr que ce soit ben bon.

— Bon ? Il n'a jamais été question que ce
soit bon.

— Hein ? Ben là, oui, il faut que ce s...

— Un instant, soyons bien clairs, ici, le
coupe Johnny, le visage tendu, la voix un brin
plus sèche. Vous vous attendez vraiment à ce

qu'on fasse une vidéo de qualité avec un gars qui pisse, chie, crache et vomit ? Vous pensez que ça va vous mettre sur la *map* et que la Place des Arts vous appellera pour faire un spectacle ?

— Heu… Je sais pas trop, là…

— Vous savez pas trop ? Eh bien, moi, je le sais, et permettez-moi de vous le dire : vous allez faire rire de vous pendant une couple de semaines et, après, plus personne ne se souviendra de vos borborygmes. À moins que vous prépariez de nouvelles imitations, genre un égout qui débouche ou une toilette qui flushe, et que vous reveniez me trouver pour une autre idée.

— Vous êtes un sale menteur, alors ! Dans vos publicités, vous vous vantez d'inventer de bons concepts qui…

— J'ai jamais dit qu'ils étaient bons ! s'énerve soudain Johnny en se levant brusquement. Relisez mes pubs ! Je promets des concepts punchés qui feront en sorte que vous serez vu, qu'on parlera de vous, mais je ne dis pas que vous serez admiré, ni combien de temps ça durera et, surtout, surtout, je ne dis pas que ce sera bon !

Boileau le dévisage, subjugué. Johnny prend tout à coup conscience de ce qu'il vient de faire et, embarrassé, replace son veston, ses cheveux, puis se rassoit lentement, les mains à nouveau jointes devant lui.

— Bien. Revenez dans deux... non, trois jours, et j'aurai un concept à vous proposer.

— Oubliez ça! rétorque Boileau, furieux, en se levant.

Il se dirige vers la porte, et Johnny songe un instant à le retenir, mais trop tard : Boileau est déjà sorti. Johnny a un large geste de mépris, puis se frotte les yeux.

Il est en train de déraper, il s'en rend compte. Qu'est-ce qui lui prend? Tout allait bien, auparavant. Enfin, tout était « sous contrôle », disons. Mais, depuis l'arrivée de ce Intel... D'ailleurs, devrait-il produire une autre vidéo? Ou envoyer tout cela au diable? Au fond, il sait très bien qu'il tentera le coup une troisième fois. Après tout, Intel lui a promis que, s'il réussissait, il aurait une récompense valant beaucoup plus que les dix mille dollars déjà encaissés. Mais ce n'est pas l'unique raison qui motive Johnny à continuer. Il sent seulement qu'il le doit. Il ignore pourquoi, mais il le doit.

Le seul problème est qu'il n'a pas d'idée pour un autre clip. Aucune. Il ne ressent que de la colère depuis quelques jours, une colère qui grandit et qui lui fait perdre le contrôle, comme avec ce Boileau, tout à l'heure...

Son téléphone sonne. C'est Sonia.

— Monsieur Boileau vient de partir sans payer le premier versement. Ça s'est mal passé ?

— Monsieur Boileau a changé ses plans.

— Ça va, Johnny ?

De sa main libre, il tambourine sur le bureau, agacé. Depuis leur rendez-vous raté d'il y a deux jours, Sonia ne cesse de lui poser cette question.

— Oui, Sonia, tout va bien.

— Faudra remettre notre verre à un autre soir, hein ?

— Oui, c'est... On verra. J'ai un client qui attend ?

— Non, le prochain est dans une heure.

— Parfait.

— En passant, Johnny, je sais pas si tu le sais, mais les vidéos de notre client nain, comment il s'appelle, déjà...

— Desmarais ?

— C'est ça. Ces clips font un vrai tabac, c'est la folie furieuse ! Ils en parlent même à la télé ! Tu les as vus ?

— Un seulement.

— En tout cas, bravo, boss ! Excellent boulot !

Johnny raccroche, de mauvaise humeur. Il observe son ordinateur comme s'il hésitait, puis finit par se brancher sur YouTube. Il tape « Charles Desmarais » et quatre vidéos apparaissent. Il clique sur l'une d'elles.

Sur un quai, près d'un lac, un homme joue un truand qui saigne du bras et gémit. Desmarais s'approche, pistolet à la main. Le blessé veut attraper son arme qui traîne sur le sol, mais Desmarais braque la sienne sur lui en disant :

— *I know what you're thinking : did I fire six shots or only five ?*

Johnny reconnaît la célèbre scène de *Dirty Harry*. Du haut de ses quatre pieds, Desmarais s'ingénie à personnifier un Clint Eastwood dangereux et sombre, ce qui est plutôt risible. Pourtant, Johnny ne sourit pas du tout et visionne le clip avec un malaise grandissant. À la fin, Desmarais pointe vers l'autre son pistolet trop gros pour lui avec une grimace qui se veut menaçante :

— *Do I feel lucky ? Well, do you, punk ?*

L'homme blessé tente de saisir son revolver et, aussitôt, Desmarais lui tire dessus. On voit clairement que son arme est en fait un fusil à pétard. Ce qui n'empêche pas la victime de pousser un hurlement ridicule en tombant à l'eau comme s'il avait été atteint par une balle. Dernier gros plan sur le regard intense du nain. Puis au bas de l'écran apparaît l'adresse de la page Facebook de Desmarais. Johnny ressent un début de mal de cœur. Comme la vidéo est en anglais, sa popularité a dépassé les frontières du Québec : le compteur indique que 5 536 984 personnes l'ont visionnée. Il y a aussi des centaines de commentaires ; la grande majorité soulignent à quel point ce clip est drôle et hyper cool. Quelques messages affirment que Desmarais est un bon acteur, mais Johnny décèle une ironie certaine dans ceux-ci.

Desmarais voulait être vu. Il n'aurait pu espérer mieux.

Alors, pourquoi ces gargouillements persistent-ils dans l'estomac de Johnny ?

Il se lève et va se planter devant la fenêtre en soupirant. Il doit se calmer. Il repense au déjeuner qu'il a pris ce matin dans son café préféré. Assise seule à une table, la jolie fille qu'il avait déjà aperçue mangeait en lisant un livre dont il n'arrivait pas à décoder le titre, mais qui semblait différent de celui de l'autre jour. Johnny l'avait cette fois observée plus longuement. Elle était absorbée par sa lecture, ses doigts caressant doucement son cou, geste qu'il trouvait si gracieux. Que ferait-il si elle le remarquait ? Tenterait-il un contact ? Depuis combien de temps n'avait-il pas osé aborder une femme qui l'intéressait ? Et, tout à coup, affolé à l'idée qu'elle lève la tête, il avait laissé de l'argent près de son assiette et avait presque pris la fuite.

Il contemple toujours le fleuve lorsque le téléphone sonne.

— Une dame qui n'a pas de rendez-vous voudrait te rencontrer, lui explique Sonia à l'autre bout de la ligne.

Johnny réfléchit, las, puis, en haussant les épaules, accepte de la recevoir. Il se sent encore de mauvaise humeur, mais tant pis : il faut qu'il se ressaisisse.

Au moment où la porte s'ouvre, Johnny se met debout et tend déjà la main au-dessus de son bureau... mais il stoppe son mouvement, aussi tétanisé que si la foudre venait de l'atteindre.

C'est sa mère ! Sa mère, ici, à son travail, maintenant ! Monique Soulière effectue quelques pas seulement et s'arrête. Elle ne manifeste aucune surprise, seulement une immense déception. Et une infinie tristesse. Elle qui a toujours semblé avoir dix ans de plus ressemble aujourd'hui carrément à une octogénaire.

Johnny abaisse lentement sa main. D'une voix qu'elle veut digne mais qui tremble légèrement, Monique, en observant le décor autour d'elle, explique :

— Odosenss, tu connais ? Les fabricants d'odeurs, au troisième ? J'ai entendu dire qu'ils créaient sur commande des arômes normalement impossibles à reproduire. Intéressée par ces artistes, je suis venue leur demander d'inventer la fragrance de la poésie. Une folie, je sais, mais l'idée m'amusait et ils ont accepté de relever le défi. J'étais dans leurs bureaux il y a cinq minutes.

Son regard s'arrête sur la fenêtre et ses yeux se perdent dans le fleuve en contrebas. Johnny, toujours debout, respire à peine. Monique poursuit :

— Tout à l'heure, j'ai fouillé dans mon portefeuille devant la femme qui s'occupait de moi... Élyse, son nom, je crois... Elle a vu une photo de toi, tu sais que j'en ai toujours une. Elle a semblé ravie que je connaisse Johnny Net. Tu penses bien que je lui ai répondu que ce n'était pas le cas. Alors elle m'a demandé pourquoi j'avais une photo de lui dans mon portefeuille... Tu devines la suite.

Silence. Johnny fixe sa mère qui s'intéresse toujours à l'étendue d'eau presque blanche sous l'éclatant soleil. L'écrivaine ajoute dans un souffle :

— J'ai voulu vérifier par moi-même... espérant que ce soit une erreur.

— Je peux t'expliquer...

— Parce que tu crois que je n'ai pas compris ? rétorque-t-elle en dardant enfin son regard sur son fils. Et moi qui me demandais comment tu allais rebondir lorsque tu as abandonné ta carrière de producteur d'artistes, quand tu as quitté le monde du spectacle, désillusionné et dégoûté. Finalement, c'est ça, ta solution ? C'est ça, ta réponse à cette société qui t'a tant frustré ?

Elle secoue doucement la tête et sa voix se brise un bref moment :

— Quel cynisme désolant...

Johnny détourne les yeux. Il entend sa mère ajouter dans un soupir :

— C'est bien la première fois que je suis contente que ton père soit mort. Il n'aurait pas pu te voir comme ça...

Johnny relève le menton dans un élan de défense rageuse :

— C'est pour ça que je ne t'en ai pas parlé ! Parce que tu serais tellement déçue !

— Évidemment que je le suis ! Mais ce n'est pas moi qui devrais l'être.

Solide comme le roc, elle n'a pas quitté son fils des yeux, et c'est lui qui baisse à nouveau les siens. Il ne les relève pas lorsque l'écrivaine tourne les talons, ni lorsqu'il entend la porte se refermer. Seul dans son bureau, il continue à fixer le sol.

Et la colère grimpe, encore et toujours.

6

Johnny arrête sa voiture et coupe le contact, interrompant du même coup la chanson de La Compagnie Créole qui jouait à plein tube dans l'habitacle. Il sort et, la démarche assurée, l'œil brillant, se dirige vers l'Orphéon. À l'intérieur de l'édifice, en passant devant le comptoir du gardien, il lance à celui-ci :

— Bonjour, Rolland. En forme ?

— J'ai mal dormi, mes rhumatismes me font souffrir pis j'avais plus de café chez moi ce matin. Ça répond à votre question ?

— Eh bien, désolé pour vous, Réjean, rétorque Johnny en rectifiant le nom du gardien.

— Vous, par exemple, vous pétez le feu. J'imagine que vous venez de concevoir une autre vidéo poche.

Johnny s'immobilise et le considère, le regard plein de défi.

— Oui, j'ai fait une vidéo, mais pas poche, loin de là !

— Vous m'avez dit la même chose, l'autre jour…

Johnny sort un bout de papier et gribouille quelque chose dessus.

— Voici le nom du clip sur YouTube. Vous irez voir ça ce soir.

Il donne le papier au gardien, qui le toise d'un air maussade, puis se dirige vers l'ascenseur.

Quand il entre dans son agence, Sonia est tout sourire.

— Tu sais, Johnny, je serais libre demain pour un verre, on pourrait se…

— Heu, peut-être… Tu as vu le montage final du clip pour Intel ?

— Non. C'est terminé ?

— Il est même en ligne !

Il va se planter derrière sa secrétaire, se connecte à YouTube puis trouve sa vidéo. À l'écran, Johnny apparaît, un simple mur blanc derrière lui, le regard allumé, l'attitude frondeuse. Il parle directement à la caméra :

— Vous en avez marre qu'on insulte votre intelligence sans cesse ? Alors réagissez ! Criez haut et fort à la face du monde votre dégoût et votre indignation et pulvérisez les cibles de votre colère ! Que ce soit en politique...

Changement de plan : Johnny est maintenant sur un trottoir bondé et se met à vociférer :

— Le gouvernement bafoue mon intelligence quand il prétend faire les choix les plus bénéfiques pour la population et travailler pour notre intérêt à tous, alors qu'il est impliqué dans des scandales de corruption et qu'il passe des lois pour nous contrôler et nous obliger à nous taire ! Ce gouvernement rit de moi et j'en ai assez !

Il brandit une grande photo du premier ministre et la déchire en deux, devant les passants quelque peu surpris. Le premier plan montrant Johnny devant un mur blanc réapparaît :

— ... ou que ce soit dans les arts...

Nouveau plan : Johnny est maintenant dans un supermarché et crie aux clients alignés devant une caisse :

— J'en ai ras le bol du rappeur Lloyd Banks qui traite les femmes comme de la merde et qui croit qu'elles sont trop connes pour être respectées. Pour être aussi macho et misogyne de nos jours, il ne faut vraiment pas être brillant !

Il jette alors par terre un CD de Banks avec violence et commence à le piétiner, sous le regard ébahi des consommateurs. Retour au plan de Johnny seul :

— ... ou que ce soit dans les médias.

Nouveau plan : Johnny entre dans un restaurant. Il tient à bout de bras un exemplaire du magazine *7 Jours* qui, en page couverture, annonce une entrevue avec un des participants d'*Occupation double*. Il déclame :

— J'en ai plein le cul de ces revues qui prétendent nous informer, mais qui nous affligent d'articles et de reportages insignifiants et superficiels. En plus, ils en profitent pour pratiquer la convergence, croyant leurs lecteurs trop crétins pour s'en rendre compte ! Ça suffit !

Et, avec un briquet, il met le feu au magazine, déclenchant un véritable brouhaha dans le restaurant. Retour au plan de Johnny seul :

— Alors, faites comme moi ! Dénoncez l'imbécillité, réduisez en miettes la médiocrité, attaquez ce qui insulte votre intelligence ! Place à la révolution du cerveau !

Fin de la vidéo. Johnny dévisage sa secrétaire avec fierté, dans l'attente du verdict. Sonia a une petite moue impressionnée.

— Intéressant... En tout cas, ça donne des idées.

— Exactement! clame Johnny en marchant vers son bureau. Quand Intel arrivera, préviens-moi immédiatement.

— Il est censé venir aujourd'hui?

— Il viendra, crois-moi!

Et il referme la porte derrière lui.

* * *

Intel n'est pas venu.

Johnny a reçu quatre clients, dont deux qui en étaient à leur première visite, mais il a été si bourru et si peu enthousiaste qu'ils sont repartis sans passer de contrat. Mais aucun signe d'Intel. Quand Johnny, vers seize heures trente, est sorti de son bureau, Sonia l'a gratifié d'un regard désapprobateur.

— J'ignore ce que tu as ces jours-ci, mais va falloir que tu te ressaisisses si tu veux qu'on ait de nouveaux clients.

Il hausse les épaules. Elle a raison, il le sait bien. Lui-même ne comprend pas ce qui lui arrive. Et pourquoi Intel n'a-t-il pas daigné se montrer? Normalement, il se pointe dès que le clip est mis en ligne…

Un homme dans la cinquantaine, mince et élégant, entre alors dans la pièce. Sonia prend son air professionnel:

— Bonjour. On peut vous aider ?

L'inconnu s'approche, un peu timide.

— Heu, oui, vous... Heu... J'avoue avoir un petit faible pour les rousses...

Sonia lance un regard interrogateur à son patron, mais Johnny, légèrement agacé, répond :

— Bleu Communication, c'est au deuxième...

Sonia et le quinquagénaire changent de couleur, blanc pour la secrétaire, écarlate pour l'homme. Celui-ci recule vers la sortie en bredouillant qu'il est désolé, puis quitte les lieux. La secrétaire, les deux mains sur les hanches, pince les lèvres :

— Ah ! Je t'ai convaincu, hein ? Toi aussi, t'es sûr qu'en haut c'est un bordel, avoue !

— Laisse tomber, Sonia...

Il est sur le point de franchir le seuil lorsque son employée lui montre un journal :

— On a au moins une bonne nouvelle : t'as vu ce qui arrive à Desmarais ?

Johnny s'approche et consulte la page qu'elle lui indique. Il s'agit d'une publicité pour *C'est pas sérieux !*, une émission télé hebdomadaire qui montre une série de sketchs en direct devant public, un peu comme *Saturday Night Live*. La publicité annonce comme invité pour ce soir nul autre que Charles Desmarais, « le phénomène de l'heure sur YouTube ».

— Une des émissions les plus écoutées du Québec! commente Sonia. Desmarais doit être content!

— C'est plutôt médiocre, ce show, non?

— Peut-être, mais ça lui fera un bon tremplin.

Johnny revient à la pub et marmonne:

— En espérant que ce tremplin ne mène pas dans une piscine vide...

Sonia fronce les sourcils, mais Johnny est déjà sorti.

* * *

Johnny paie son repas, quitte le restaurant et marche sur le trottoir bondé. Il passe devant un magasin de disques dont surgit tout à coup une femme dans la trentaine qui se met à clamer d'une voix forte et outrée:

— Je viens d'acheter le dernier album de Sylvain Cossette, pas parce que je l'aime, mais pour le dénoncer!

Parmi la vingtaine de piétons autour d'elle, quelques personnes ralentissent et la considèrent avec stupeur, dont Johnny. La fille continue, le regard en feu:

— Ça va faire, de prendre des tounes des années soixante-dix et de les réinterpréter exactement de la même manière, sans inspiration, sans nouveaux arrangements, sans rien ! C'est de la simple copie dénuée d'âme, de l'opportunisme pur, pour plaire aux baby-boomers nostalgiques qui feraient bien mieux d'acheter les versions originales ! Faire ce genre de disque une fois, c'est déjà pas fort, mais en sortir trois en ligne, c'est carrément rire du monde ! Ça suffit !

Et elle propulse violemment le CD dans une poubelle. Si la plupart des gens poursuivent leur chemin en haussant les épaules, deux ou trois quidams applaudissent avec ravissement. Une femme dans la quarantaine s'écrie :

— Voyons donc, il est super bon, Sylvain Cossette ! Quand il chante les vieilles chansons, c'est pareil comme les vraies !

— C'est justement ça, le problème ! réplique l'un de ceux qui applaudissent.

Une vive discussion s'ensuit, impliquant trois ou quatre individus et la femme qui a jeté l'album. Johnny observe la scène, presque ému. Il est en train d'assister à l'effet de sa vidéo.

Ça peut donc marcher ? Vraiment marcher ?

Tout retourné, il se remet en route. Il devrait peut-être envoyer son clip à sa mère.

Surtout qu'il ne lui a pas reparlé depuis sa visite-surprise au bureau, il y a quelques jours.

En entrant dans son appartement décoré avec goût, mais à l'ambiance froide, Johnny allume sa télé. Il l'écoute si rarement qu'il doit réfléchir un moment pour trouver la bonne chaîne. Il est dix-neuf heures, l'émission *C'est pas sérieux* vient à peine de débuter et l'animateur s'adresse au public en studio et à la caméra :

— … tout un programme, avec notre équipe habituelle, évidemment, mais aussi avec un invité spécial, celui qui fait un malheur sur la toile en ce moment : Charles Desmarais !

L'assistance applaudit avec un enthousiasme exagéré, sans doute encouragée par un motivateur de foule. Un premier sketch commence, racontant l'histoire d'un bègue qui cambriole une banque. Les spectateurs hurlent de rire face aux balbutiements du truand qui pointe son arme sur la caissière exaspérée par le handicap de son agresseur. Comprenant que cette saynète lamentable ne mettra pas Desmarais en vedette, Johnny va se servir un verre de vin rouge, puis revient s'asseoir devant la télé au moment où la police arrête le voleur, qui gémit : « J'ai-j'ai-j'ai même pas eu le temps de-de-de crier à tout le monde de le-le-lever les mains en-en-en l'air ! »

Applaudissements. Johnny soupire en prenant une gorgée de vin. Puis, l'animateur présente le prochain sketch :

— C'est maintenant l'heure de notre numéro improvisé, qui met en vedette une personnalité : cette semaine, il s'agit de Charles Desmarais ! (Applaudissements) Je vous rappelle le fonctionnement de cette impro : nos comédiens savent ce qui va se passer dans le sketch, mais pas notre invité ! Nous lui avons seulement expliqué le canevas de base en lui donnant deux ou trois répliques obligatoires, mais il devra improviser ! Alors, on y va !

Le sketch commence. Le décor est un taudis. Desmarais n'est pas encore là. Trois comédiens, jouant manifestement des voyous, font fonctionner une planche à billets. Dans un coin, une superbe femme est ligotée.

VOYOU 1 : Hé, hé ! Avec cette machine à fabriquer du faux fric, nous serons riches !

VOYOU 2 : Ouais ! On va pouvoir s'acheter tout ce qu'on veut !

VOYOU 3 : Mais non, on pourra pas ! C'est pas du vrai argent !

La salle s'esclaffe, tandis que les deux premiers criminels dévisagent le troisième d'un air découragé.

VOYOU 2 : Toi, je me demande vraiment pourquoi on t'a embarqué avec nous !

Le troisième voyou lance un regard idiot et interrogatif vers l'assistance hilare. Johnny, dans son fauteuil, demeure de marbre, se rappelant soudain pourquoi il n'écoute presque plus la télévision.

FEMME : Et que ferez-vous de moi ?

VOYOU 3 : C'est vrai, pourquoi on l'a kidnappée, elle ?

VOYOU 1 : Parce que des bandits sans belle fille attachée, c'est pas sérieux, crétin !

Nouvelle œillade perplexe du voyou 3 vers la foule qui rit de plus belle.

Tout à coup, la porte s'ouvre et Desmarais fait son apparition. Il est habillé comme un dur (jeans délavés, t-shirt sombre, blouson de cuir), porte des lunettes noires et, du haut de ses quatre pieds, prend un air menaçant. Un séisme d'applaudissements se déclenche dans le studio et Desmarais, malgré son personnage de *tough*, ne peut empêcher sa bouche de se tordre en un très léger rictus d'autosatisfaction. Son verre coincé entre les genoux, Johnny, maintenant attentif, avance tout le haut de son corps vers la télé.

VOYOUS 1-2-3 (ensemble) : Merde ! C'est l'inspecteur Dirty Bruce Van Damme !

Rires dans la salle. Desmarais enlève ses lunettes : son regard devient intense, et il articule de sa voix nasillarde :

DESMARAIS : Je viens vous arrêter, bande de mécréants.

VOYOU 2 : Toi tout seul ? T'es mieux d'appeler du renfort !

DESMARAIS : J'ai jamais besoin de renfort !

S'ensuit une scène burlesque de bataille au cours de laquelle on se moque de la petite taille de Desmarais. Au moment où ce dernier veut asséner un coup de poing sur la gueule du voyou 3, qu'il ne peut évidemment atteindre, son adversaire lui tend un bâton au bout duquel est fixé un gant de boxeur. Desmarais, pris au dépourvu, le frappe donc avec cet instrument. Le plus déroutant est le sérieux avec lequel le nain joue cette pantalonnade, en totale opposition avec l'interprétation caricaturale et loufoque des autres comédiens, qui ridiculisent ouvertement la petitesse de leur invité. Johnny, mal à l'aise, remarque que, face aux rires insistants de l'assistance, le doute s'installe enfin dans le regard de Desmarais.

À la fin, lorsque les trois bandits sont K.-O., la foule explose en applaudissements. Desmarais conserve son air menaçant, mais il jette néanmoins un coup d'œil incertain vers les auditeurs. Il se tourne enfin vers la femme attachée, se demandant un moment quoi faire, puis :

DESMARAIS : Je vais vous délivrer.

FEMME : Mais ce sont des chaînes ! Il vous faut du renfort !

DESMARAIS : Je n'ai jamais besoin de renfort.

Il prend les chaînes et les brise facilement. La fille se lève et pose ses mains sur les épaules de Desmarais.

FEMME : Ah, mon héros !

Elle veut l'embrasser, mais doit se mettre à genoux, provoquant la gêne de Desmarais et l'amusement des spectateurs, et, tandis qu'elle lui colle un baiser, elle lui caresse l'entrejambe. Elle ouvre alors de grands yeux surpris, toise la fourche du nain d'un air embarrassé, puis dit :

— Là, par exemple, je pense que tu vas avoir besoin de renfort...

Desmarais cligne des yeux, stupéfait, tandis que la foule vomit presque de rire. Applaudissements, délire. Juste avant qu'une pub interrompe l'émission, Johnny voit quelque chose s'écrouler dans le regard de son client.

Johnny éteint la télévision. Il se sent oppressé et va sur le balcon respirer un bon coup. Les deux mains sur la rambarde, il observe la nuit, les immeubles voisins, la rue six étages plus bas. Tout à coup, sur un des balcons de l'édifice d'en face, à une vingtaine de mètres, un homme apparaît et se met à crier comme s'il s'adressait à toute la ville :

— Je viens d'écouter *C'est pas sérieux !* : jamais l'humour n'a été aussi gênant, aussi médiocre ! Je dénonce cette insulte à l'intelligence !

Quelques visages curieux s'affichent aux fenêtres environnantes. Johnny, accoudé à la rambarde, a un sourire attendri. Un autre qui a vu sa vidéo et qui en a été inspiré. Le voisin disparaît à l'intérieur de son appartement, mais en ressort presque aussitôt avec son téléviseur de 27 pouces entre les bras. Il le soulève en beuglant :

— Fini, la bête télévision qui nous prend pour des cons !

Et il jette l'appareil dans le vide, sous les hoquets de surprise des témoins. Hébété, Johnny voit le téléviseur s'écraser sur le sol près de quelques piétons, dont l'un reçoit même des débris sur les jambes. Un concert de protestations et d'insultes s'élève de la rue, tandis que le voisin, hautain, rentre dans son logis sans un mot.

Johnny demeure un bon moment sur son balcon, secoué.

* * *

Johnny, tendu, roule vers l'Orphéon. Il se rend compte que, depuis qu'il a mis son clip en ligne, il attend la visite d'Intel avec impatience, ou plutôt son verdict. Viendra-t-il aujourd'hui ?

Sur un trottoir, il voit un homme qui crie en agitant un quotidien au-dessus de sa tête, sous les regards amusés de quelques curieux. Le révolté se met alors à déchirer le journal en morceaux, qu'il éparpille à tout vent. Johnny reporte son attention sur la route, gonflé de fierté. Franchement, il avait produit sa vidéo surtout pour épater Intel ; jamais il n'aurait cru qu'elle aurait un tel impact. Et un impact positif, en plus ! Enfin, du moins tant que les gens ne jetaient pas leur télé par la fenêtre du sixième étage...

Quelques minutes plus tard, il s'arrête à un feu rouge. Tout près, il aperçoit une jeune femme dans la vingtaine qui, au centre d'un groupe de quidams, engueule un trentenaire qui arbore camisole, casquette, bijoux en or et gros muscles. Curieux, Johnny baisse sa vitre et entend la fille qui, pointant un doigt méprisant vers l'homme, crie :

— … pis des *douchebags* comme toi, non seulement ça pollue notre environnement visuel, mais ça insulte notre intelligence ! Ça nous rappelle qu'y a des crétins qui vivent parmi nous, et c'est déprimant !

— C'est quoi, ton problème, la frustrée ? réplique le gars en roulant des épaules. On se connaît pas, je t'ai même pas parlé pis tu me chies dessus !

— J'exige que tu changes de trottoir ! J'exige que toi et tes semblables vous vous teniez loin de nous, les gens intelligents !

— *Fuck you*, grosse conne !

Un débat s'enclenche, mélange de rires, d'injures et d'encouragements. Johnny observe la scène, mais le feu passe au vert. Subjugué, il se remet en route. Cette fille n'a peut-être pas visionné son clip ; peut-être est-elle toujours comme ça…

Cinq minutes plus tard, alors qu'il traverse le hall de l'Orphéon, il aperçoit le gardien, Rolland ou Réjean, qui se fait tancer par Corax, le propriétaire du building qui vit dans le loft au sommet de l'immeuble. Croiser Corax est très rare, mais le voir en colère relève de l'événement.

— Ben voyons, Réjean, c'est ça, ta job, de surveiller l'Orphéon !

Derrière Réjean, tous les moniteurs sont éteints. Les bras croisés, le vieil homme réplique d'une voix sèche :

— J'ai toujours trouvé ça humiliant pis con de passer mes journées à fixer des écrans. Alors, c'est assez, j'arrête. Par respect pour mon intelligence.

— Mais... t'es gardien de sécurité, merde !

Tous deux prennent enfin conscience de la présence de Johnny qui, mal à l'aise, appuie sur le bouton de l'ascenseur. Réjean fait alors quelque chose de tout à fait improbable : il sourit.

— J'ai écouté votre vidéo, hier, Johnny. Ça m'a vraiment ouvert les yeux.

— Heu... Tant mieux, Réjean, tant mieux. (Puis, au propriétaire :) Bonjour, monsieur Corax.

— Heu, oui, bonjour, Johnny...

Il n'a pas l'air en forme, le proprio : blanc, cerné, les cheveux en désordre... Lui qui est normalement si bien mis et si maître de lui... Exaspéré, il revient au vieil homme :

— Écoute-moi bien, Réjean : ou tu allumes les écrans de surveillance, ou tu rentres chez vous ! C'est clair, ça ?

La fermeture des portes de l'ascenseur empêche Johnny d'entendre le reste. Quand il entre dans son entreprise, Sonia est déjà là et lui sourit :

— Tu sais que ta nouvelle vidéo commence à avoir pas mal d'impact ?

— Je sais, oui.

— Qu'est-ce que tu fais de bon, ce soir, après le travail ? On pourrait fêter ça en allant prendre un verre ?

— Tu annules tous mes rendez-vous d'aujourd'hui. Je ne veux voir personne. Sauf Intel, s'il se présente.

— Mais… Qu'est-ce que tu…

— C'est compris ?

Médusée, elle hoche la tête. Sans un mot de plus, Johnny s'enferme dans son bureau.

Durant toute la journée, il fixe le mur. Regarde le fleuve par la fenêtre. Réfléchit à lui, à ses parents, à son boulot. De temps en temps, il furète sur YouTube et découvre de plus en plus de clips inspirés du sien. On y montre des hommes et des femmes de tout âge, dans des lieux publics, dénonçant haut et fort certains films, livres, disques, politiciens, célébrités ou revues. Dans certains cas, Johnny approuve le choix de la cible ; dans d'autres, il ne comprend pas (on peut ne pas aimer Woody Allen, mais comment peut-on affirmer que c'est un idiot congénital ?), mais, dans tous les clips, il est frappé par l'utilisation de termes extrêmement violents, d'expressions carrément haineuses. On y traite certaines personnes de « trou du cul », de « merde finie », de « minable »...

Intel ne se pointe pas de la journée.

À seize heures, Johnny sort de son bureau et, sombre, annonce à Sonia qu'il retourne chez lui. Celle-ci a un sourire incertain :

— Ça va pas, Johnny ?

— Pas tellement.

— Tu veux qu'on en discute autour d'un verre ?

— Mais vas-tu me sacrer patience, avec ton verre ! explose enfin son patron. T'as pas compris que si je t'invite plus, c'est parce que j'en ai pas envie ? Achète des souliers à la mode, écris tes niaiseries sur Facebook, pis crisse-moi la paix une fois pour toutes, c'est clair ?

Il regrette immédiatement ses paroles. Sonia est blanche comme de la craie. Johnny se masse le front en agitant une main désolée :

— Sonia, je voulais pas... Excuse-moi, c'était...

Mais la femme se lève, la lèvre inférieure tremblotante, et, comme si elle s'adressait à une foule, se met à déclamer :

— Je dénonce mon boss ! Il me traite comme de la merde et ça insulte mon intelligence ! Je mérite pas ça ! Je démissionne ! Ça suffit !

Elle ouvre son classeur, prend une dizaine de dossiers et les jette sur le sol. Puis elle pousse son ordinateur qui bascule et percute le plancher dans un craquement peu rassurant. Johnny observe la scène sans réagir, éberlué. Sonia, la tête haute mais les pupilles luisantes de larmes, le défie du regard, puis, le pas raide, franchit la porte.

Johnny se laisse tomber sur l'un des fauteuils, et, les bras ballants, ne bouge plus.

*   *   *

Chez lui, Johnny écoute les nouvelles télévisées avec incrédulité.

Le journaliste parle d'une manifestation « pour le respect de l'intelligence » qui a eu lieu en début de soirée à Montréal. Une trentaine d'individus ont déambulé dans les rues en détruisant tout ce qu'ils trouvaient insultant et méprisant pour le bon goût et la matière grise. Pendant que le journaliste livre son compte rendu défilent des images de participants scandant les slogans : « Oui à l'intelligence, non à la connerie ! » ou « À bas la médiocrité ! »

Certains brisent des vitrines pour saccager les livres ou films qu'ils désapprouvent, d'autres lancent des projectiles sur des panneaux publicitaires, d'autres encore injurient et intimident des gens qui font la file pour voir la dernière superproduction hollywoodienne... Le journaliste explique que la bande a été arrêtée par la police alors qu'elle était sur le point d'atteindre le bureau du ministre des Finances avec l'intention de l'incendier.

« Mais par quoi ou par qui a été inspiré ce groupe, de même que plusieurs dizaines d'individus dans toute la province, qui, eux aussi, dénoncent l'imbécillité ? demande le journaliste en regardant la caméra. Il semblerait qu'une récente vidéo, produite par un certain Johnny Net, ait mis le feu aux poudres. Ce Johnny Net est un spécialiste du web, bien connu des utilisateurs de YouTube, qui propose ses services aux personnes qui souhaitent devenir célèbres sur la... »

Johnny éteint la télé d'un geste tellement las qu'il a peine à tenir la télécommande. Il laisse retomber sa main sur sa cuisse, le visage couleur cendre.

Tandis qu'il attend à un feu rouge, Johnny regarde, par la vitre ouverte de sa portière, deux types se battre au coin de la rue, entourés de curieux. Il ne connaît pas la raison du litige car la musique de La Compagnie Créole qui joue dans sa voiture l'empêche d'entendre la dispute, mais il a compris qu'un des deux belligérants dénonçait quelque chose en hurlant et que l'autre, qui passait par là, ne l'a pas trouvé drôle.

Tout à coup, un homme se penche vers sa portière, allonge le bras à l'intérieur de l'habitacle et éteint le lecteur CD. Johnny le dévisage avec stupeur :

— Mais... mais qu'est-ce qui vous prend, vous ?

— Cette musique-là, c'est de la marde ! clame le gars dans la trentaine, cheveux longs,

lunettes rondes, visage outré. On peut pas accepter ça !

— Peut-être que c'est de la marde, mais
moi, ça me fait du bien ! rétorque Johnny en
remettant le lecteur en marche.

La Compagnie Créole s'époumone plus que
jamais, mais l'agresseur étire à nouveau les
doigts vers le bouton :

— Non, non ! Pas de médiocrité, sinon
l'intelligence est en danger !

— Je vais te montrer, moi, qui est en danger !

Commence alors une lutte clownesque, les
mains de l'un agrippant celles de l'autre, puis
soudain, le gars s'arrête et fixe Johnny.

— Mais... mais c'est toi ! T'es le mec qui a
fait la vidéo !

Johnny cesse de se débattre à son tour.
L'homme, accablé, secoue la tête.

— Mais ça se peut pas ! C'est toi qui nous as
ouvert les yeux ! C'est toi qui nous as encoura-
gés à agir ! Pis t'écoutes... t'écoutes ça ?

Johnny le repousse avec une telle force que
l'agresseur est rejeté en arrière sur deux, trois
mètres, permettant ainsi à la voiture de repar-
tir en faisant crisser ses pneus. Johnny regarde
presque avec terreur dans son rétroviseur.

Dix minutes plus tard, il franchit les grandes
portes vitrées de l'Orphéon. Mais, le temps

qu'il traverse le hall, il assiste à un autre sin-
gulier spectacle : Élyse, la grassouillette qui
travaille chez Odosenss et qui aime tant ses
clips, se tient devant le comptoir du Café
Clochette et brandit un café sous le nez de
Straz en vociférant :

— Il faut vraiment que tu nous prennes
pour des imbéciles pour nous servir un breu-
vage aussi dégueulasse en prétendant que
c'est du café, Straz ! C'est insultant pour notre
intelligence ! Je proteste !

Il y a deux consommateurs assis aux tables
qui observent la scène en approuvant silen-
cieusement. Straz, les bras croisés, affiche une
indifférence totale. Élyse voit Johnny et lui
décoche un large sourire de fierté. Et, comme
pour montrer à quel point elle a bien compris
sa nouvelle vidéo, elle lève sa tasse de café encore plus haut et en renverse tout le contenu
sur le comptoir. Straz, sortant enfin de son
apathie, se met à meugler de rage et Johnny,
dont la tête tournoie, s'empresse de filer
vers l'ascenseur. Il passe devant le gardien de
sécurité, dont les écrans de surveillance sont
allumés et qui est tout sourire.

— Bonjour, monsieur Net. Ce sera moi qui
serai ici à temps plein pendant au moins une
semaine, mon frère a dû prendre un long

congé. Avez-vous idée de ce qui a bien pu lui arriver ?

— Heu, non, aucune, Rolland…

— Oh, je crois bien que vous le savez, monsieur Net…

Et son sourire s'élargit. Troublé, Johnny se réfugie dans l'ascenseur.

Tout en montant, il se frotte les tempes en grimaçant. Ça ne se déroule pas comme prévu, mais alors là, pas du tout ! Et puis, pourquoi vient-il au bureau aujourd'hui ?

Et pourquoi est-il venu hier ? Et avant-hier ? Et la semaine dernière ! Et depuis deux ans !?

Il sort de l'ascenseur. Deux hommes font le pied de grue devant son entreprise, un dans la quarantaine qui tient une caméra le long de sa jambe, et l'autre dans la cinquantaine, micro à la main. Ils aperçoivent Johnny et se précipitent vers lui, caméra et micro tendus :

— Johnny Net, c'est ça ? Danny Lévesque, pour l'émission *Intérêt public*. On tourne dans cinq secondes, d'accord ? Prêt, Mike ?

— Non, attendez, je ne veux pas passer à la télé pour…

— Ça roule, Danny.

— Bonjour, tout le monde. Je suis avec Johnny Net, le gars qui a produit cette bizarre de vidéo, vous l'avez sûrement vue, là, dans laquelle on incite les gens à dénoncer et combattre ce qui insulte l'intelligence. Bon. Vous, là, Johnny Net, vous avez fait ça pour quoi, là ? Vous vouliez régler vos comptes avec quelqu'un, votre mère, votre ex, votre patron ? C'est quoi, là ?

— Laissez-moi passer, j'ai rien à dire.

— Mais là, vous attendiez-vous à ce que ça prenne de l'ampleur de même ? C'était-tu ça, votre but ? De créer une sorte de mouvement populaire ? Êtes-vous anarchiste, coudonc ?

— J'ai rien à dire ! Poussez-vous de là, s'il vous plaît !

— Portiez-vous un carré rouge, vous, durant la grève étudiante de c'printemps ?

Johnny réussit à atteindre sa porte, cherche sa clé. Le caméraman baisse sa caméra, las, et Danny le remarque :

— Qu'est-ce que tu fais là, Mike ? Filme !

— Tu vois ben, qu'il veut pas ! C'est niaiseux, cette entrevue-là ! Pis... pis tes questions, Danny ! Pis je suis tanné de travailler dans une émission aussi poche ! Je rêvais d'être le directeur photo de Kubrick, moi, croirais-tu ça ?

— Mike, voyons, qu'est-ce que...

— J'en ai assez de faire une job de con juste pour l'argent ! Je vaux mieux que ça ! Je veux qu'on me respecte !

Johnny franchit enfin le seuil de son bureau au moment où Mike, sous les cris outrés de Danny, jette sa caméra par terre.

Johnny s'appuie contre la porte, ferme les yeux et prend de grandes inspirations, le visage couvert de sueur. Quand il les rouvre, il réalise que Sonia n'est pas là, puis se rappelle qu'elle a démissionné. Il va au bureau de son ex-secrétaire et écoute les messages téléphoniques. Quatre en tout, uniquement des journalistes qui sollicitent des entrevues. Il les efface tous, puis se traîne jusqu'à son bureau.

Intel est là, debout devant la fenêtre, et observe le fleuve plus bas.

— Vous voilà enfin, vous! grommelle Johnny.

Intel se retourne. Il sourit, mais d'un sourire fatigué. Une barbe de deux jours mange ses traits féminins.

— Content de constater que vous souhaitiez ma présence. Comment s'est déroulée votre sortie avec Sonia?

— Laissez faire ça!

— Ça ébranle quelques idées préconçues, pas vrai?

— Pourquoi vous avez pris tant de temps à venir?

— J'attendais de voir la réaction des gens.

Johnny remarque que son client est plus maigre que jamais, presque rachitique. Ses jeans d'homme et sa blouse de femme flottent littéralement sur lui. Johnny gémit :

— Je sais, j'ai échoué encore une fois. Je sais pas pourquoi, mais ç'a... dérapé.

— C'est pourtant simple : vous êtes tombé dans le troisième piège.

— Tiens donc ! Et c'est quoi, ce piège ?

— C'est pas un piège.

Cette dernière phrase provient du bureau de Johnny. Son fauteuil, tourné face au mur, pivote soudain : un individu y est installé. Non seulement Johnny n'est pas surpris de découvrir ce nouvel androgyne (cheveux longs, moustache fournie, seins proéminents, bras extrêmement poilus), mais il en éprouve même une sorte de lassitude, qu'il traduit en un profond soupir.

— Au contraire, tu as fait exactement ce qu'il fallait, poursuit la personne d'une voix sans sexe.

— Et vous, vous êtes qui ?

— Tu as enfin dit ce que bien des gens pensent ! continue l'autre en se levant et en contournant le bureau, sans répondre à la question. Et tu as encouragé tous les citoyens à s'exprimer librement !

— D'accord, parfait, mais vous êtes qui ?

— Quand on trouve que quelque chose est con ou médiocre, il faut le crier, même si ça plaît pas à tout le monde, même si c'est juste notre point de vue ! Parce qu'on a raison, pas vrai ? On a toujours raison !

— Ah, j'y suis : vous êtes l'Intolérance.

Intel, qui suivait la discussion à l'écart, les mains dans le dos, hausse un sourcil, impressionné :

— Vous faites des progrès, Johnny...

— Toi, Intelligence, ferme-la ! intervient durement Intolérance en tendant un doigt intransigeant vers lui. T'as toujours été pour l'objectivité, l'ouverture d'esprit, et regarde où ça t'a mené : t'es aussi maigre que ces crétins d'anorexiques !

— C'est gentil pour les anorexiques, ça.

— Quand même ! Il faut être vraiment cave pour maigrir au point de se rendre malade ! D'ailleurs, l'anorexie, c'est une maladie mentale, non ?

— Je pourrais t'expliquer en détail ce qu'est l'anorexie, Intolérance, répond Intelligence doucement. Ses symptômes, ses causes psychologiques et socioculturelles, sa complexité et son historique... mais j'ai l'impression que ce serait fort inutile.

— Peu importe : l'anorexie, c'est con, point final. J'ai pas raison, Johnny ?

— Sortez.

— Pardon ?

— Sortez ! crie Johnny en pointant la porte. Immédiatement, tout de suite !

Intolérance le considère un moment en plissant les yeux, puis elle dresse son index à quelques centimètres de son menton.

— Tu dis ce que tu penses et tu refuses de supporter quelque chose qui te fâche, donc tu t'exprimes ; c'est bien, très bien. Mais moi, je refuse qu'on me traite comme ça, alors je vais m'exprimer aussi, donc je te dis d'aller te faire foutre. Tu comprends ?

— Johnny t'a demandé de partir, Intolérance, fait doucement Intel.

— Je t'ai dit de la fermer, toi ! aboie Intolérance en lui sautant à la gorge.

Intel bascule sur le dos et son adversaire, à califourchon sur lui, lui assène deux coups de poing avant que Johnny le saisisse par la taille et le propulse vers la porte qu'il ouvre en beuglant :

— Dehors, j'ai dit !

Et il claque la porte. Haletant, il se tourne vers son client. Celui-ci se relève lentement, tâte sa mâchoire et son nez légèrement enflé en ricanant :

— Le problème quand on est l'Intelligence, c'est qu'on perd toujours dans les conflits physiques...

— « La force sans l'intelligence s'effondre sous sa propre masse », cite Johnny. Vous savez qui a dit ça ?

— Mais oui, c'est Horace ! Qui croyez-vous lui a soufflé un tel aphorisme ? Mais j'aurais dû lui suggérer d'ajouter : « Mais parfois, sous la force, l'intelligence s'effondre aussi... »

Johnny a un sourire sans joie, puis va s'écrouler dans son fauteuil en secouant la tête.

— Pourquoi ai-je fait cette vidéo ? Qu'est-ce qui m'a pris ?

— C'est le résultat des deux premiers pièges, Johnny, lui explique Intel en avançant de quelques pas, les mains croisées derrière son corps maigre. Vous êtes tombé dans le mépris et l'élitisme depuis longtemps, depuis des années, mais vous ne le saviez pas avant récemment. Ou vous ne vouliez pas le voir. Et maintenant que vous en êtes conscient, cela vous met en colère. Une colère que vous avez cru canaliser, mais qui, finalement, s'est transformée en troisième piège.

— Alors, je fais quoi, avec cette colère, hein ? s'énerve Johnny en levant les bras avec exaspération. Je fais quoi, au juste ?

— Eh bien... Produisez une autre vidéo.
Comme vous avez affronté les trois pièges,
vous ne pouvez que réussir, non ? Pensez à la
récompense...

— Je m'en crisse, de la récompense ! Je m'en
crisse, de votre vidéo ! Je veux juste... juste...

Il se couvre la face des deux mains, les
coudes sur le bureau.

— Allez-vous-en ! gémit-il. J'ai échoué, je
ne suis pas arrivé à satisfaire votre commande,
tant pis pour moi ! Maintenant, partez, c'est
fini. J'abandonne.

Intel le considère un moment, la tête légèrement penchée sur le côté. Mais il conserve le
silence. Avec une moue fataliste, il tourne les
talons et quitte la pièce.

Seul, Johnny demeure immobile, les mains
toujours sur le visage. Au bout de longues minutes, il perçoit le son de la porte qui s'ouvre,
mais ne réagit pas. Puis il entend une voix,
nasillarde, familière :

— Alors, vous êtes fier de vous ?

Il laisse glisser ses paumes jusqu'à découvrir
ses yeux. Devant lui se tient un homme qui dépasse à peine son bureau. Desmarais a l'air plus
minuscule que jamais et Johnny comprend
pourquoi : le nain est recroquevillé de colère,
de désespoir et de honte.

— Vous m'avez vu, lundi, à la télévision ? Vous avez vu à quel point on a ri de moi ? Vous avez lu les éditoriaux des journaux depuis deux jours ?

Johnny, le bas du visage caché par ses mains, ne dit rien, les pupilles rivées sur Desmarais. Celui-ci crispe les mâchoires, serre les poings et poursuit d'une voix tremblante :

— Vous savez qui m'a appelé ce matin ? Une compagnie de publicité qui m'offrait un contrat. Pour une annonce de nettoyant de salle de bain ! Et je jouerais le rôle du vilain petit germe qui s'incruste et qui serait anéanti par le nettoyant ! Vous entendez ce que je vous dis ? Un germe, câlisse !

Johnny ne réagit toujours pas, soutient le regard du nain comme s'il s'agissait d'une pénitence. Le vrombissement familier du monte-charge de chez Phénix se fait entendre, fait vibrer les murs, paraît plus bruyant que d'habitude. Les yeux de Desmarais s'emplissent soudain de larmes et Johnny se dit que, si les internautes le découvraient en ce moment, personne ne songerait à se moquer de lui.

— Pourquoi vous m'avez fait ça ? postillonne le nain. Pourquoi vous m'avez traité comme tous vos autres abrutis de clients ? Je voulais pas être la saveur du mois, moi ! Je voulais pas faire le cave! J'avais un rêve! Un vrai! Alors, pourquoi vous m'avez fait ça!?

Le grondement enfle encore, devient assourdissant. Au moment où Johnny voit la première larme couler, il se lève d'un bond, et s'élance vers la sortie. Mais, une fois dans le couloir, il entend Desmarais derrière lui qui tente de le rattraper :

— Répondez, Johnny! Ayez au moins la décence de répondre à ma question! Soyez honnête pour une fois!

En pleine panique, Johnny fonce vers l'ascenseur qui est miraculeusement ouvert et s'y engouffre. Sans réfléchir, il appuie sur 2. Il se retourne et voit Desmarais qui, tel un gnome menaçant, court vers lui :

— Pour une crisse de fois!

Le dos contre le mur, Johnny émet un gémissement d'enfant terrifié, mais les portes de l'ascenseur se referment juste à temps. Il pousse le long soupir du chasseur ayant échappé à une meute de loups affamés. Quand les portes s'ouvrent, il réalise qu'il est à l'étage de Bleu Communication. Il se dirige vers l'entrée.

Derrière son comptoir, Collard le salue en souriant :

— Ça tombe bien, Ève est disponible. C'est pour tout de suite ?

— Oui, souffle Johnny.

Collard donne un coup de fil pendant que Johnny sort son argent pour le payer. Oui, pourquoi pas ? Il a besoin de compréhension, d'une oreille attentive, de quelqu'un qui le rassurera et qui l'aidera, même si cette personne joue ce rôle uniquement pour l'argent.

Ahuri, il a l'impression qu'il vient de se décrire lui-même.

* * *

Ève est couchée sur le lit aux draps rouges, en déshabillé sexy, en train de lire un bouquin. Elle lève les yeux lorsque Johnny entre.

— Salut, Johnny. Comment tu vas ?

— Pas très bien, je dois l'admettre.

Elle se redresse lentement, s'extirpe du lit.

— Alors, tu t'es dit qu'un peu de réconfort te ferait pas de tort.

Elle n'est pas comme d'habitude. Son sourire est ambigu. Elle conserve ses lunettes tandis qu'elle s'approche tout près de lui.

— Heu… Exactement, approuve-t-il.

Elle l'enlace et marmonne :

— J'ai vu ta dernière vidéo… Elle crée tout un impact, on dirait.

— Ève, s'il te plaît, je ne veux pas parler de ça...

— Dommage. Je trouve que c'est un clip très intéressant.

Il lui caresse doucement la joue du bout des doigts. Tout en avançant sa main vers celle de Johnny, elle a encore cet étrange sourire vaguement moqueur :

— C'est quoi, déjà, la phrase que tu utilises à la fin de ton message ? Attaquez ce qui insulte votre intelligence ?

— Heu, quelque chose comme ça, oui, mais...

D'un mouvement preste, Ève saisit la main de Johnny et l'oblige à se frapper lui-même en plein visage. Johnny sursaute, lâche la jeune fille et, stupéfait, recule de deux pas. Il touche sa peau endolorie, observe ses propres doigts qui viennent tout juste de le gifler, puis balbutie :

— Mais... mais qu'est-ce que... tu...

Ève sourit toujours, mais maintenant d'un air triste et plein de défi à la fois :

— Quoi ? J'ai suivi la proposition de ta vidéo, non ? Il faut que les gens se réveillent, dis-tu, n'est-ce pas ? Alors sois honnête, Johnny. Allons. Juste une fois.

Encore ces mots! Encore cette phrase! De nouveau, Johnny ressent cette panique irrationnelle, et il se sauve une fois de plus, mais il a beau fuir, il est toujours là, lui! Il n'arrive pas à courir assez vite pour se perdre lui-même de vue! Il descend l'escalier quatre à quatre, trébuche, retrouve son équilibre juste à temps, atteint la porte de son entreprise et se retrouve dans son bureau.

Une fille dans la vingtaine, grasse et pas très jolie, y est assise. Elle se lève aussitôt, nerveuse, mais excitée.

— Bonjour... Vous êtes Johnny, c'est ça? Comme y avait personne, je me suis dit que je pouvais vous attendre.

— Qu'est-ce que... vous faites ici? Vous êtes qui?

— Mais... j'avais rendez-vous. Je m'appelle Élodie.

— Vous voulez quoi? Être connue?

— Heu, ouais, c'est ça! Mais je sais pas trop comment! Je suis pas très *cute*, je chante mal, fait que...

— Va à l'école, ou fais une job que t'aimes, ou fouille, cherche, réfléchis, rencontre du monde, pis arrête de te prendre pour une autre.

— Mais... Voyons, c'est... c'est pas...

Johnny l'agrippe par le bras et la traîne vers la sortie.

— Sors, va vivre pour de vrai pis crisse-moi la paix !

Il la pousse dehors et claque la porte. Il va se planter devant la grande fenêtre et observe le fleuve, le regard sombre, tourmenté.

Au bout de vingt minutes, il s'installe devant son ordinateur. Le visage de marbre, les gestes lents, mais précis, il met la caméra de son ordinateur en marche, puis, les yeux rivés sur la minuscule lentille, les mains à plat sur son bureau, il articule d'une voix posée :

— Bonjour. Ici Johnny Net. Ce message est pour vous annoncer que je ferme mon entreprise, et ce, dès maintenant. Quant à ceux qui ont passé une commande avec moi, je vous rembourserai le montant déjà investi. Merci.

Il appuie sur *Pause* et, sans montage, envoie directement cette vidéo sur YouTube.

Il écrit quelque chose sur une feuille de papier, puis se lève. Juste avant de sortir, il observe son local une dernière fois. La colère qui brûle au fond de son regard s'apaise peu à peu. Lorsqu'il sera dehors, elle aura totalement disparu.

Dans le couloir, il colle sur la porte le papier sur lequel est inscrit « Fermé pour toujours ».

Au même moment, DJ Lampion s'approche, souriant.

— Eh, Johnny ! Oké, t'avais raison l'autre jour : je suis un client, pis pas un ami. Ça fait que, si je te paye, tu peux-tu m'aider à devenir la vedette des DJ de salons funéraires ? Au Phénix, je plafonne. Pis on peut prendre comme un rendez-vous, oké ?

Johnny se contente de lui montrer la feuille. Le visage de DJ s'effondre.

— Pis là ! Qui c'est qui va m'aider à exprimer mon moi profond, Johnny ?

— C'est Jean, mon nom. Jean Hetier.

Et il tourne les talons.

8

Jean ouvre les yeux. Son regard tombe sur le réveille-matin : huit heures. Jamais il n'a si bien dormi que ces trois derniers jours. Il roule sur le dos en soupirant d'aise, mais pousse aussitôt un cri d'effroi.

Intel se tient debout près du lit, les mains croisées devant lui.

— Vous avez passé une bonne nuit ?

— Merde, Intelligence, vous avez failli me faire faire une crise cardiaque !

Intelligence a un sourire ému.

— C'est la première fois que vous m'appelez par mon vrai nom.

Jean se rend compte que c'est juste. Il se redresse dans son lit et, d'un air vaguement réprobateur, commente :

— Franchement, je... je ne m'attendais pas à vous revoir. Surtout que vous n'étiez jamais venu chez moi auparavant...

— Oh, au contraire, je suis venu souvent. Mais, ces deux dernières années, vous me traitiez comme un invité indésirable.

Jean a une moue entendue et désolée, puis Intelligence déclare :

— Je suis ici pour vous dire que vous avez réussi, mon cher.

— Réussi quoi ?

— La commande que je vous avais passée.

— Mais... comment ça ?

— Votre dernière vidéo, celle où vous annoncez que vous fermez votre entreprise... Voilà. Ce n'était pas plus compliqué que ça.

Jean bat des paupières, les yeux encore ensommeillés, les cheveux ébouriffés. Intelligence écarte les bras :

— Vous voyez ? En trois jours seulement, j'ai déjà regagné quelques kilos !

Jean le considère. C'est vrai. Même sa poitrine semble plus opulente, sa peau plus en santé, sa longue tignasse flamboyante. Intelligence sourit :

— Évidemment, je ne me fais pas trop d'illusions : c'est temporaire. Le net ne deviendra pas un modèle d'intelligence pour autant. Mais il faut profiter de chaque petite victoire, aussi éphémère soit-elle, n'est-ce pas ?

Jean se gratte le crâne en riant, pris au dépourvu. C'était donc si simple ?

— Eh ben, je... Tant mieux, je suis bien content.

— Et j'ai su que vous et votre mère avez discuté, il y a deux jours, de la possibilité de créer une maison d'édition ?

— Heu, oui, on y songe sérieusement.

— Ça ne devrait pas trop me nuire ça non plus...

Jean hoche la tête.

— Tant mieux, répète-t-il, soudain touché.

— Donc, comme vous avez réussi, je suis venu vous donner votre récompense. Votre paiement final.

Jean est soudain totalement réveillé. La récompense ! Il ne pensait plus à ça ! Il se lève enfin et enfile une robe de chambre par-dessus son pyjama en bredouillant :

— J'avoue que ça tombe bien ! Parce que, pour fonder une maison d'édition, des fonds solides ne seront pas de refus et...

— Il ne s'agit pas d'argent.

Jean, qui avait commencé à nouer sa robe de chambre, stoppe son mouvement.

— Ah, non ?

— Non.

— Mais… Vous m'aviez promis que ça vaudrait beaucoup, beaucoup plus que les dix mille dollars déjà versés !

— Et c'est vrai. Beaucoup plus !

Intelligence s'approche de son interlocuteur, dépose ses deux mains sur ses épaules et, solennel, comme s'il lui annonçait la plus grande nouvelle de son existence, articule :

— Vous avez gagné la Dignité.

Jean ne dit rien, attend la suite, puis demande enfin :

— Pardon ?

— La Dignité, Jean. Rien n'a plus de valeur dans la vie.

Nouveau silence. Jean penche la tête sur le côté.

— Vous rigolez, là, non ?

— Pas du tout.

— On ne pourrait pas remplacer cette Dignité par un certain montant d'argent ?

Intelligence glousse, amusé. Jean rit aussi, mais avec beaucoup moins de conviction. D'ailleurs, il redevient sérieux très rapidement, presque inquiet :

— Ne me dites pas qu'un autre androgyne va franchir cette porte dans quelques secondes ?

— Non, rassurez-vous. La Dignité est plus subtile. En fait, elle a toujours été là, sous toutes sortes de formes. Mais elle ne s'intéressait pas à vous.

— Pourquoi ?

— Parce que vous n'étiez pas disponible. Maintenant que vous l'êtes, il n'en tient qu'à vous.

Jean le dévisage en silence, perplexe. Intelligence relâche soudain son étreinte et se dirige vers la sortie :

— Je dois partir : les programmateurs de V doivent décider de la grille d'émissions aujourd'hui et je vais tenter de les éclairer un peu. Mais je crains qu'ils ne soient pas tellement à l'écoute. Enfin, faut essayer...

Il lance un clin d'œil à Jean :

— Bonne chance, mon ami.

Longtemps après qu'il a quitté l'appartement, Jean, encore déconcerté, est toujours planté au milieu de sa chambre.

* * *

Assis à une table de son café préféré, Jean tourne la cuillère dans son espresso en fixant le vide, le visage morose. Il repense à ce que lui a dit Intelligence sur sa récompense et s'efforce d'y trouver un sens.

En soupirant, il examine les clients autour de lui, puis aperçoit la jolie trentenaire. Comme toujours, elle est seule et plongée dans un bouquin, caressant inconsciemment son cou parfait. Contrairement à son habitude, Jean la contemple un bon moment, sans dévier le regard, sans s'empresser de partir.

Et, tout à coup, elle relève la tête vers lui. Jean est parcouru d'un long frisson, il veut détourner les yeux... mais il ne le fait pas. En fait, il n'éprouve aucune gêne pendant qu'elle l'observe. Elle finit par lui sourire, un peu intimidée, mais curieuse.

Après une très brève hésitation, Jean lui sourit à son tour.

.

Remerciements

Merci à Roxanne Bouchard, Stéphane Dompierre, Geneviève Jannelle et Véronique Marcotte pour la complicité, les belles soirées, les discussions sérieuses et moins sérieuses.

Merci à la gang de VLB pour le défi, l'aide et la confiance : Martin Balthazar, Martin Bélanger, Stéphane Berthomet, Myriam Comtois et les autres.

Merci à mes mauvais compagnons habituels et fidèles lecteurs : René Flageole, Olivier Sabino et Alain Roy.

Merci à ma Sophie, pour l'essentiel et le reste.

Cet ouvrage composé en MrsEaves corps 13,5 a été achevé d'imprimer au Québec
le huit janvier deux mille treize sur papier 30 % recyclé
sur les presses de Imprimerie Lebonfon Inc.
pour le compte de VLB éditeur.

procédé
sans
chlore

30 % post-
consommation

archives
permanentes